Chères lectrices,

Noël. Ce seul mot suffit à nous replonger dans le monde de notre enfance. Il nous rappelle ces moments magiques où nous attentions, émues et impatientes, qu'on nous autorise à nous rendre au pied du sapin pour y trouver les cadeaux que le père Noël y avait laissés pour nous. Les mains tremblantes d'excitation, nous déchirions le papier cadeau pour découvrir la poupée de nos rêves.

Bien sûr, nous ne rêvons plus de poupées aujourd'hui, mais nous nous réjouissons de voir le visage radieux des enfants qui nous entourent lorsqu'ils déballent leurs cadeaux au matin de Noël. Et puis, ces journées particulières ne sont-elles pas le moment idéal pour rêver d'amour ? Car en contemplant les rues illuminées, les magasins aux vitrines décorées, les gens qui s'y pressent pour trouver ce qui fera plaisir à ceux qu'ils aiment, on se dit que si Noël est vraiment une saison féerique et lumineuse, c'est bel et bien grâce à l'amour.

Excellente lecture !

La responsable de collection

D1398664

La surprise de Noël

BARBARA HANNAY

La surprise de Noël

COLLECTION AZUR

éditions **Harlequin**

*Cet ouvrage a été publié en langue anglaise
sous le titre :*
CHRISTMAS GIFT : A FAMILY

Traduction française de
ANTOINE HESS

HARLEQUIN®

est une marque déposée du Groupe Harlequin
et Azur ® est une marque déposée d'Harlequin S.A.

Toute représentation ou reproduction, par quelque procédé que ce soit, constituerait une contrefaçon sanctionnée par les articles 425 et suivants du Code pénal.
© 2005, Barbara Hannay. © 2006, Traduction française : Harlequin S.A.
83-85, boulevard Vincent-Auriol, 75013 PARIS — Tél. : 01 42 16 63 63
Service Lectrices — Tél. : 01 45 82 47 47
ISBN 2-280-20549-1 — ISSN 0993-4448

1.

Et voilà, on était à la veille de Noël.

Joanna observa la rue quasi déserte à travers la vitrine et grimaça.

Elle avait accepté cette année encore de tenir le magasin le temps qu'il fallait pour permettre à sa mère de préparer les réjouissances, y compris les cadeaux pour les six enfants de la famille. Mais ce n'était vraiment pas une partie de plaisir que de rester confinée dans le petit magasin familial de Bindi Creek ! C'était l'époque de l'année où il faisait le plus chaud en Australie, et ce mois de décembre était particulièrement caniculaire. Le Père Noël n'était pas près d'arriver sur un traîneau glissant sur la neige !

Assise derrière la caisse, mélancolique, elle regardait la rue sans la voir, songeant à toutes ces festivités qui se préparaient, à tous ces dîners en famille ou entre amis, à tous ces rires, à tout l'amour que symbolisait cette fête de fin d'année. Aujourd'hui, à l'approche de Noël, elle se sentait plus seule que jamais.

Soudain, son attention fut attirée par un crissement de pneus dans la rue : un gros 4x4 noir venait se garer non loin du magasin.

Lorsque la portière du luxueux véhicule s'ouvrit et qu'elle

vit l'homme qui en sortait, Joanna eut l'impression que sa respiration s'arrêtait.

L'inconnu était de taille élancée et puissante à la fois, mais ce qui la frappa le plus, ce fut son visage. Jamais de sa vie elle n'avait vu — sauf peut-être au cinéma ou dans des magazines de mode — un visage aussi beau.

Les cheveux noirs, le menton nettement dessiné, l'homme possédait cette assurance paisible des personnages que tout le monde admire. Vraiment pas le type d'individu qui longe les murs en rentrant les épaules ! Mais il n'avait pas l'air arrogant pour autant. Une sorte de charme, de magnétisme très puissant, de douceur émanait de sa personne.

— Dieux du ciel, marmonna-t-elle sans quitter des yeux le nouvel arrivant, vous qui n'êtes pas cléments tous les jours avec moi, accordez-moi au moins une faveur : faites qu'il entre dans mon magasin !

Elle se leva afin de mieux détailler le visiteur. Mais était-ce vraiment un visiteur pour elle, un client ?

Malgré la poussière qui recouvrait son 4x4, témoignage d'un long trajet dans la brousse, et la chaleur relativement étouffante, l'inconnu était habillé de manière élégante : chemise blanche, pantalon beige, chaussures de luxe. Il avait remonté ses manches, laissant voir des avant-bras bronzés et musclés. Pour l'instant, il semblait hésiter, en arrêt devant la vitrine du magasin comme s'il cherchait quelque chose de particulier, on ne savait quoi. Les mains sur les hanches, il se penchait légèrement en avant pour mieux distinguer ce qui se trouvait derrière la vitre.

Joanna, respiration coupée, le considérait avec stupeur. Jamais au grand jamais elle n'avait vu *en direct* un homme aussi beau.

Comment un homme d'allure aussi exceptionnelle pouvait-il trouver un intérêt quelconque à cette vitrine où sa mère avait exposé de manière maladroite des confiseries banales, des boîtes de chocolat plutôt misérables, des gâteaux industriels dénués de tout intérêt ?

Le regard du visiteur se leva soudain et rencontra le sien à travers la vitre. Elle discerna des yeux d'un bleu gris tirant sur le vert. Des yeux qui la fixaient avec attention.

Elle se figea, frappée au cœur, se sentant rougir jusqu'aux oreilles.

Un instant plus tard, l'homme poussait la porte dont la clochette tinta dans le silence.

— Bonjour ! lança-t-il avec un ton chaleureux.

— Bonjour, monsieur.

Elle distinguait mieux ses yeux. Ils étaient bel et bien verts, d'un beau vert marin, et mis en valeur par des cils étonnamment longs.

— Vous… Vous cherchez quelque chose en particulier ? reprit-elle du ton le plus dégagé qu'elle put, compte tenu de la boule qu'elle sentait dans sa gorge.

Après un regard circulaire au magasin, l'inconnu se tourna vers elle et lui adressa un sourire qui la charma instantanément.

— Je jette un coup d'œil, si vous permettez.

Sa voix grave et musicale désignait un Anglais, non un Australien. Il avait articulé sa phrase avec cette distinction, cette diction incomparable que possèdent les citoyens britanniques de bonne éducation.

— Faites, je vous en prie, dit Joanna, le cœur battant à tout rompre.

Depuis qu'elle s'occupait de temps à autre du magasin familial pour soulager sa mère, elle avait rarement eu l'occasion de s'intéresser un tant soit peu à un client. Et voilà que débarquait d'un coup un personnage qui semblait venir tout droit d'un film d'aventures ! Car, malgré son accent anglais remarquable, l'inconnu possédait un visage tanné, marqué par la vie et le vent. Celui d'un aventurier solitaire traversant à cheval plaines et forêts. Le genre d'individu à vous donner la chair de poule au moindre regard, des frissons érotiques au moindre battement de paupières...

Qu'est-ce qu'un tel personnage était venu chercher dans un magasin aussi modeste ? De la crème à raser ? du savon ? Des... des préservatifs ?

Des préservatifs ? Grands dieux ! Elle était en train de délirer.

— Je cherche un cadeau pour une petite fille, expliqua l'homme d'une voix posée, toujours avec sa merveilleuse intonation — Oxford ou Cambridge ?

Il jeta un nouveau coup d'œil autour de lui et ajouta du même ton tranquille :

— Les petites filles jouent toujours à la poupée, à notre époque, non ?

— Hum... La plupart, oui. Mais nous ne vendons pas de poupées ici. Je suis désolée.

Il fronça les sourcils, l'air déçu.

— Vous avez bien des jouets pour enfants ? Je ne sais pas : des boîtes à musique, des dînettes ? Je souhaiterais le plus joli cadeau possible.

— Je suis désolée, nous n'avons rien de tel.

— Rien du tout ? insista-t-il, désappointé.

Elle inspecta les rayonnages du magasin à la recherche de n'importe quel cadeau qu'on puisse faire à une petite fille. Mais la boutique n'était absolument pas destinée à ce genre de commerce.

« Allons, Joanna. Réfléchis. Tu ne vas tout de même pas laisser filer ce monsieur ! »

— Je suppose qu'il s'agit d'un cadeau de Noël ? interrogea-t-elle.

— Exactement. Pour une petite fille de cinq ans.

Cinq ans ! C'était juste l'âge de sa petite sœur, Tilly.

— Je ne pense pas que vous puissiez trouver ici ce que vous cherchez, murmura-t-elle, presque désespérée.

Elle désigna du doigt la série de grands bocaux de verre contenant toutes sortes de bonbons.

— Si vous le souhaitez, nous avons là différentes confiseries…

Le visiteur, perplexe, passa machinalement ses doigts dans sa chevelure brune.

— C'est déjà quelque chose, bougonna-t-il, pensif. Mais j'aurais préféré un cadeau plus… plus…

Il laissa sa phrase en suspens et se pencha pour inspecter le rayon des objets de bureau : stylos, blocs de papier, etc.

Joanna, désolée, le regarda soupeser différents objets, dont aucun ne constituait à vrai dire un présent possible pour une petite fille.

Elle pensa à l'achat qu'elle avait effectué récemment à Brisbane pour sa petite sœur Tilly : une magnifique poupée avec toute sa gamme de petits vêtements de rechange. Voilà le cadeau qu'il eût fallu pour cet homme qui débarquait de nulle part et se rendait on ne savait où.

— Vous allez loin ? interrogea-t-elle.

— Je dois me rendre à Agate Downs.

— Ah ? fit-elle, surprise. Je connais très bien l'endroit. C'est la maison des Marten. Ils ont en charge une petite fille de…

— … de cinq ans ! compléta-t-il.

Il se tourna vers elle, le regard soudain brillant.

— Vous la connaissez ? Vous la connaissez vraiment ? C'est elle que je suis venu voir !

— Ivy ? Bien sûr. C'est une petite ville ici, vous savez.

11

Tout le monde se connaît. Est-ce qu'Ivy vous a demandé un cadeau particulier ? Savez-vous ce qu'elle aimerait ?

Il fronça les sourcils, l'air étrangement égaré.

— Je ne la connais pas, dit-il sombrement. Je ne l'ai jamais rencontrée.

Très étonnée, Joanna hocha la tête silencieusement. Quelle raison amenait cet homme jusqu'à Ivy ? Peut-être la petite était-elle de sa famille ? Une nièce, une filleule ?

— C'est une enfant délicieuse ! assura-t-elle avec chaleur.

Elle était sincère. Ivy était l'une des plus adorables gamines de la ville. Une petite fille dont on n'oubliait pas le regard. Elle l'avait souvent vue dans le magasin et avait été frappée par les horribles cicatrices que la pauvre petite avait à l'un des bras. Ivy avait été gravement brûlée dans un accident il y avait quelque temps, mais elle n'en savait pas plus.

— Ellen Marten vient de temps en temps ici faire les courses avec Ivy, expliqua-t-elle, toujours très intriguée par le visiteur.

Soudain, elle prit conscience de la ressemblance physique entre Ivy et l'homme qui se tenait en face d'elle. C'étaient les mêmes cheveux noirs, les mêmes yeux d'un vert intense, le même regard plein de douceur et de profondeur. Se pouvait-il que la petite soit la fille de cet homme ? Elle s'était souvent demandé où étaient les parents d'Ivy, mais n'avait jamais osé poser la question à Ellen.

L'inconnu passa une nouvelle fois sa main dans ses cheveux. Il avait l'air plus que désappointé, tourmenté.

— J'avais complètement oublié qu'une enfant de cet âge s'attend à recevoir un cadeau de Noël, marmonna-t-il avec dépit.

Joanna, touchée, se creusa la tête. Que pourrait-elle bien

faire pour pallier cet oubli facheux ? Il devait bien y avoir une solution !

— Cela vous plairait, un assortiment de bonbons et de chocolats ? questionna-t-elle en tendant la main vers un des bocaux qui contenait de jolies confiseries enveloppées d'un papier rouge et or.

Pas plus tard que la veille, elle avait offert à Ivy un de ces chocolats si joliment enveloppés, tandis que Mme Marten faisait son marché dans le magasin. La gamine avait été ravie.

— Ivy adore ces confiseries, assura-t-elle avec un rire timide.

— Bonne idée. Je vais prendre tout ce bocal.

— Vous voulez dire : tout ça ?

Elle le considérait avec des yeux ronds.

— Oui. L'ensemble. Et puis vous rajouterez les autres friandises, là et là…

Il désignait les autres bocaux qui contenaient différentes variétés de bonbons, des rouges, des verts, des jaunes… Manifestement, il souhaitait offrir un cadeau mémorable à Ivy.

— Voulez-vous que je fasse un joli paquet-cadeau, avec tout cela ? proposa-t-elle gaiement.

— Ce serait parfait. Merci.

Le sourire que lui adressa son client déclencha en elle un délicieux frisson, une chair de poule qui courut le long de ses bras et de ses épaules. Mon Dieu, ce que cet homme pouvait être séduisant !

Il s'était appuyé contre le comptoir et la regardait faire avec attention et bienveillance tandis qu'elle découpait le papier d'emballage orné de sapins et d'étoiles.

Elle plia soigneusement le paquet et le ficela délicatement avec un ruban couleur argent et or. S'il s'était agi d'un client habituel, elle n'aurait pas hésité à échanger quelques propos avec lui pendant qu'elle s'occupait de l'emballage. Mais ce n'était pas un client comme les autres. D'une manière ou d'une autre, c'était évident, il était lié à Ivy.

Etait-ce son père ?

Elle alla prendre un tout petit bonhomme de Noël en peluche qu'elle attacha au ruban du paquet.

— C'est très joli, comme ça, commenta aimablement l'inconnu.

Il sortit de sa poche une liasse de billets et régla le montant de l'achat.

— Je veux vous donner quelque chose en plus pour la peine que vous avez prise à…

— Il n'en est pas question, le coupa Joanna en souriant. Nous sommes en période de Noël, il est normal de faire de jolis emballages.

Elle s'attendait à ce que ce client insolite s'en aille aussitôt, mais il n'avait pas l'air pressé de partir. Il regardait toujours autour de lui, comme s'il espérait dénicher un objet susceptible de plaire à la petite fille.

— J'aurais dû lui acheter une poupée à Sydney, grommela-t-il. Ç'aurait été tellement plus simple ! Il n'existe pas de magasins de jouets dans les environs, je suppose ?

Joanna secoua la tête.

— Hélas, non. Il faudrait parcourir deux cents kilomètres pour trouver votre bonheur.

Son interlocuteur poussa un soupir de dépit puis rassembla lentement les paquets et les mit sous son bras.

Elle se sentait le cœur serré par la compassion. Comment aider cet homme qui lui faisait une telle impression ?

— Vous souhaitez offrir à Ivy un cadeau particulièrement beau ? interrogea-t-elle à brûle-pourpoint.

L'inconnu fit « oui » de la tête.

— C'est très important, ajouta-t-il tristement.

A ce moment précis, elle acquit la conviction que cet homme était le père d'Ivy. Probablement n'avait-il encore jamais vu sa fille. La situation était poignante. De nombreuses questions lui vinrent à l'esprit : où se trouvait donc la mère d'Ivy ? Pourquoi celle-ci vivait-elle en pension dans une famille qui n'était pas la sienne ? Quel drame avait donc eu lieu ?

Grands dieux ! Elle ne pouvait pas le laisser s'en aller ainsi, avec sa pauvre provision de bonbons et de chocolats !

Elle se mit à penser à toute vitesse. Il fallait absolument trouver une solution. La petite Ivy méritait un vrai beau cadeau de son papa !

— Je vous remercie infiniment pour votre gentillesse, murmura l'homme en se dirigeant vers la porte d'un pas hésitant.

— Ecoutez, dit-elle avec émotion, nous pouvons peut-être trouver une solution. Je pense pouvoir vous aider.

Il tourna la tête, surpris.

— J'ai acheté pour mes petits frères et sœurs des tas de cadeaux, ajouta-t-elle. Probablement bien trop. Dans le tas, nous pourrons certainement trouver quelque chose de joli pour Ivy. Un cadeau de Noël digne de ce nom, qui s'ajoutera à ces bonbons que vous venez d'acheter.

Elle avait débité sa proposition à toute vitesse, sans reprendre son souffle. Lorsqu'elle vit le sourire qu'il lui adressa, elle sentit ses genoux se dérober sous elle. Un sourire comme ça, elle n'en avait jamais vu.

— Je ne sais pas comment vous remercier ! répondit le visiteur. C'est tellement gentil de votre part.

Joanna prit une attitude détachée, mais son cœur s'était mis à battre follement.

— Restez là ! ordonna-t-elle sur un ton décidé. Je vais

chercher l'un de mes frères pour qu'il garde le magasin. Ne bougez surtout pas.

S'éclipsant sans attendre de réponse, elle se précipita vers l'arrière du magasin et ouvrit la porte qui menait directement dans le jardin de la maison familiale.

Elle savait que l'impulsion qui la guidait n'était pas très raisonnable, mais elle aurait fait n'importe quoi pour faire plaisir à cette petite fille au regard triste. Ivy méritait un beau cadeau de Noël. Quant à ce beau et mystérieux visiteur à l'accent anglais, il méritait que… qu'elle… Bref, il méritait quelque chose, lui aussi !

Lorsqu'elle revint enfin accompagnée de son frère Bill, l'homme était toujours là. Il considérait d'un œil rêveur une pile de boîtes de croquettes pour chien. Entre temps, la vieille Mme Bligh était entrée dans le magasin et furetait allègrement d'un rayon à l'autre en parlant toute seule.

— Ah, Joanna ! Vous êtes de retour ! lança Mme Bligh. J'étais en train d'expliquer à M. Strickland que lorsqu'il n'y a personne dans le magasin, on se sert tout seul.

Diable ! La vieille dame avait réussi à obtenir le nom du visiteur. Elle ne manquait pas d'audace !

— Bill va s'occuper de vous, dit-elle poliment.

Elle se tourna vers le visiteur.

— Suivez-moi, dit-elle avec un sourire tendu. Allons voir ces jouets…

Lorsqu'ils furent dans le petit jardin attenant à la maison, elle reprit d'une voix quelque peu hésitante :

— Vous vous appelez Strickland ?

— Hugh Strickland. C'est exact. Et vous, si j'ai bien compris, vous êtes Joanna ?

Elle acquiesça d'un signe de tête.

— C'est un joli prénom, assura-t-il avec un sourire éclatant.

16

— Je m'appelle Joanna Berry.

Elle tendit la main pour la présentation officielle. Lorsqu'il la serra, elle sentit immédiatement un délicieux frisson la parcourir.

— Mme Bligh ne vous a pas trop ennuyé, pendant que j'étais partie ? Elle a dû vous accabler de questions ?

Il eut un rire indulgent.

— Bah, c'est une vieille dame qui s'ennuie un peu, j'ai l'impression, répondit-il avec bienveillance.

Comme ils entraient dans la maison, Joanna expliqua, un peu gênée :

— Je... Je vais devoir vous emmener dans ma chambre. C'est là que j'ai déposé tous les jouets.

Il hocha la tête, l'air réjoui.

— Je n'ai pas l'habitude de faire entrer dans ma chambre des inconnus, reprit-elle, mais...

— J'en suis certain ! dit-il en riant. Mme Bligh ne m'a rien raconté de ce genre à votre sujet !

Elle esquissa un sourire. Hugh Strickland ne manquait pas d'humour.

— Vous comprenez, cela me gêne un peu, poursuivit-elle en rougissant. J'ai dû cacher les cadeaux dans ma chambre, afin que les enfants ne mettent pas le nez dessus.

Il était loin d'être simple pour elle d'emmener dans la chambre qu'elle occupait chez ses parents un personnage qui semblait sortir tout droit d'un écran de cinéma, d'autant que cette chambre ressemblait ni plus ni moins à une cellule de prison : un lit de fer, une petite table, une simple chaise. Tout ce qui avait quelque intérêt avait été emporté à Brisbane, dans son propre appartement.

Ils entrèrent dans la petite pièce.

— Vous savez, cela me gêne un peu de vous priver d'un

cadeau que vous aviez destiné à l'un de vos frères ou sœurs, commenta l'homme avec courtoisie.

— Ne vous inquiétez pas, dit-elle en tirant une grosse valise de dessous le lit. Il est indispensable que la petite Ivy reçoive un joli cadeau.

En s'accroupissant, elle avait laissé voir un peu de peau entre son jean et son T-shirt. Lorsqu'elle vit que le regard du visiteur s'attardait avec un plaisir à la fois manifeste et discret sur cette zone précise, elle piqua de nouveau un fard et se releva aussitôt, le rouge aux joues.

Elle souleva la valise et la posa sur le lit.

Il y avait toutes sortes de cadeaux dans la valise. Des jouets mécaniques, des livres pour enfants, des C.D., des peluches et, parmi toute cette hotte de Noël, la superbe poupée qu'elle avait achetée pour Tilly.

— Vous en avez, des cadeaux ! s'exclama le visiteur, impressionné.

— C'est vrai.

— Avec six frères et sœurs, il est normal que vous accumuliez autant de choses !

— Comment savez-vous que j'ai six...

Elle s'interrompit et sourit.

— Ah, je comprends. Mme Bligh a tenu son rôle d'informatrice, une fois de plus !

Son interlocuteur acquiesça d'un signe de tête amusé, puis reprit d'un ton enthousiaste :

— Je vous donnerais n'importe quoi pour cette magnifique poupée !

Elle eut un sourire désolé et secoua la tête.

Un instant, elle avait eu l'idée qu'elle pourrait peut-être offrir la poupée à Ivy, mais non, c'eût été une trahison à l'égard de sa petite sœur.

18

— J'aimerais beaucoup vous la laisser, mais la poupée est destinée à Tilly, ma petite sœur.

— Je comprends, murmura-t-il, résigné.

Joanna fouilla un moment dans la valise.

— Ah, j'ai trouvé !

Elle brandit triomphalement une peluche qui représentait une licorne, avec sa toute petite corne en matière plastique.

— Les enfants adorent ce genre de peluche, expliqua-t-elle avec entrain.

Le visiteur haussa des sourcils étonnés.

— Ah bon ? Vous savez, j'avoue que je suis complètement hors du coup lorsqu'il s'agit des petites filles de l'âge d'Ivy.

Joanna entendit soudain un bruit insolite derrière la porte. Elle s'approcha de la porte sur la pointe des pieds et l'entrouvrit d'un coup.

— Mais qu'est-ce que vous faites là ? s'exclama-t-elle, furieuse.

Tilly et Eric se tordaient de rire.

— Vous écoutez derrière les portes, maintenant ? reprit Joanna, les sourcils froncés. Vous n'avez pas honte ?

— C'est ton amoureux qui est dans ta chambre ? interrogea hardiment Tilly.

— Absolument pas ! gronda Joanna, rouge de confusion. Allez ! Voulez-vous bien déguerpir, tous les deux ! Je ne veux plus vous voir !

Elle claqua la porte. Dieu merci, les enfants n'avaient pas réussi à voir l'homme qui se trouvait dans sa chambre.

Hugh Strickland se tenait au milieu de la pièce, les mains dans les poches. Il avait l'air à la fois amusé par la scène et impatient d'en finir avec cette histoire de jouets.

— J'apprécie beaucoup votre gentillesse, assura-t-il avec

un sourire poli. Mais je ne veux pas abuser de votre temps. Je vais vous quitter, à présent.

— Vous ne voulez pas prendre la licorne ?

— Mais ce jouet va vous faire défaut ?

— Ne vous inquiétez pas pour ça. Des jouets, j'en ai toute une provision, comme vous le voyez. Attendez, je vais vous l'emballer dans un joli sac.

Elle prit un sac de Noël en plastique rouge, y mit la peluche et le tendit à Strickland.

— Je vous remercie infiniment, dit-il en sortant son portefeuille de sa poche.

Elle ouvrit les deux mains en signe de protestation.

— Non, je ne veux pas un sou.

— Mais…

— Considérez cela comme un cadeau de ma part pour Ivy.

— Vous êtes trop gentille. Merci encore. J'avoue que j'aurais été bien embarrassé d'aller à Agate Downs sans un vrai cadeau pour elle.

Cette mélodieuse manière de parler, ce délicieux accent anglais…

Une image totalement folle passa dans la tête de Joanna, comme un éclair insensé : une grande barre de fer pour bloquer la porte de la chambre, pour garder près d'elle encore et encore cet homme si séduisant…

Elle garda les yeux fermés un instant puis annonça à regret :

— Eh bien je ne vous retiens pas, monsieur Strickland. Je vous souhaite un très bon Noël. Quant à moi, je vais retourner tenir le magasin. Mon frère doit s'impatienter.

Comme un prince charmant, comme un rêve, le beau visiteur repartit après maints remerciements.

Joanna écouta le bruit du moteur s'évanouir au loin, la gorge serrée. Sans doute ne reverrait-elle jamais Hugh Strickland.

2.

Après cet incident, Bindi Creek connut une effervescence inhabituelle. C'était la veille de Noël, et les retardataires, pris de frénésie, se précipitaient pour faire leurs derniers achats.

Finalement, Joanna était heureuse d'avoir beaucoup de travail. Cela lui permettait de ne pas trop penser à l'homme qui venait de faire irruption dans sa vie, ce personnage extraordinaire qui l'avait si profondément remuée.

Lorsque vint l'heure de la fermeture, elle débrancha la caisse enregistreuse, rangea les chèques et éteignit les lumières. Elle sortit du magasin en prenant soin de fermer la porte à double tour puis tira le rideau de fer, qui grinça comme d'habitude.

C'était le plein été, et la nuit était remplie de parfums. Des senteurs de frangipanier et de jasmin en particulier flottaient délicieusement dans l'air sec et doux.

Elle pensa de nouveau à Hugh Strickland, à la petite Ivy. S'étaient-ils enfin rencontrés ? La petite fille avait-elle déjà reçu son cadeau de Noël ? Et, dans ce cas, avait-elle aimé la licorne en peluche ? Et lui, que faisait-il, où était-il ?

En revoyant en imagination le visage de son séduisant visiteur, elle eut un frisson de plaisir et d'émotion.

Elle se frotta les bras d'un mouvement langoureux.

Allons, ce n'était pas raisonnable de s'attarder ainsi sur l'image de cet homme !

D'une certaine manière, elle devait être en manque. Manque de relation amoureuse, manque d'homme, manque de passion… Il y avait six mois qu'elle avait rompu avec Damien, et depuis elle n'avait fait aucune rencontre digne de ce nom.

Joanna se trouvait dans sa chambre, en train de confectionner les paquets qui allaient être distribués à chacun des membres de la famille. Cela en faisait beaucoup.

Elle sursauta : on avait discrètement frappé à sa porte.

— Qui est-ce ? lança-t-elle d'une voix étouffée, afin de ne pas réveiller sa sœur qui dormait dans la pièce voisine.

— C'est maman.

— Une seconde !

Joanna prit sur le lit les cadeaux destinés à sa mère, qu'elle n'avait pas encore emballés. Un flacon de parfum français et un CD — une compilation de chansons qui avaient eu leur succès dans les années soixante-dix et dont sa mère raffolait. Elle glissa parfum et CD sous l'oreiller, puis alla ouvrir.

Sa mère semblait un peu agitée.

— On te demande, Jo.

— Qui donc ? s'étonna-t-elle.

Il était rare qu'on vienne la voir chez ses parents. Qui pouvait bien venir ainsi la veille de Noël ?

— C'est un monsieur. Un Anglais, je pense. Il s'appelle Hugh Strickland.

Une flèche brûlante traversa d'un coup le cœur de Joanna, décochée par Eros ou l'un de ses acolytes.

— Tu… Tu es sûre ? bégaya-t-elle.

— Evidemment que je suis sûre ! Tu veux que je lui dise que tu es occupée ? Tu préfères qu'il s'en aille ?

— Non, non. C'est… Hum, un client qui est passé tout à l'heure au magasin.

— Oui, et il m'a dit justement que tu avais été très aimable avec lui.

Sa mère fit une pause et la scruta, mais Joanna éluda toute explication. Ses joues étaient devenues brûlantes. Elle n'avait aucune envie de commenter l'événement ou le personnage.

— L'as-tu fait entrer, maman ?

— Il t'attend dans la cuisine.

— Dans la cuisine !

— Il était si poli, si aimable, que je me suis dit qu'il pouvait bien t'attendre dans la cuisine.

La cuisine ! Une vieille cuisine d'un autre âge, sans charme… Mon Dieu ! Il avait eu droit à la chambre sinistre où elle l'avait fait entrer, et à présent la cuisine…

— Est-ce qu'il t'a dit pourquoi il souhaitait me voir ? interrogea-t-elle, le cœur affolé.

— Non. Il ne m'a rien dit.

Comme elle demeurait indécise, se tordant machinalement les doigts, sa mère insista sur un ton quelque peu agacé.

— Bien. Tu veux le voir ou pas ?

— Dis-lui que… Que j'arrive.

Dès que sa mère eut disparu, elle se passa la main sur le front. Elle était mal coiffée, c'était sûr. Pas maquillée, c'était un fait. Et, pour l'élégance, on ne pouvait dire qu'elle était au top : un jean tout simple et un T-shirt.

Mais elle n'avait pas le temps de se faire une beauté. On l'attendait. Le plus bel homme jamais passé par l'Australie l'attendait. Il ne fallait pas le faire attendre.

Lorsqu'elle vit Hugh Strickland debout près de la grande table de chêne, Joanna sentit que ses genoux la lâchaient et que sa respiration s'arrêtait.

Et c'était avant qu'il ne lui adresse ce lumineux, ce merveilleux sourire !

Dieux du ciel, ce qu'il pouvait être beau ! En repensant à lui dans la soirée, elle s'était dit qu'elle avait sans doute enjolivé le portrait, qu'il n'était pas mal, mais qu'après tout…

A présent, elle se rendait bien compte qu'Hugh Strickland était somptueusement ensorcelant, fascinant ! Jamais aucun homme n'avait produit sur elle un tel effet.

Son superbe visage était marqué par l'ombre qui couvre la mâchoire des hommes très bruns en fin de journée. Ses cheveux noirs étaient arrangés — ou plutôt dérangés — en un désordre tout à fait seyant. Son regard, plus vert que jamais, exprimait à la fois l'intelligence et la douceur. Et, quand il se mit à sourire, ce fut le comble ! Elle craqua littéralement.

En cet instant, il paraissait pourtant encore plus tendu que la fois précédente. Lorsque son sourire se fut effacé, elle remarqua ses sourcils froncés. Et pourquoi était-il revenu si vite ?

Elle en eut immédiatement la réponse lorsqu'il lui tendit le sac en plastique rouge où se trouvait la licorne en peluche.

— Je suis venu vous rendre ça, commenta-t-il sans préambule, d'un ton chagrin.

— Vous n'avez pas trouvé la maison des Marten, à Agate Downs ?

— Si, si. J'ai bien vu la maison. Mais je n'ai pas osé sonner.

24

Stupéfaite, Joanna scruta le visage tourmenté de son visiteur.

— Mais… Pourquoi ? insista-t-elle avec douceur.

— J'ai réfléchi. Je me suis dit que le moment était peut-être mal choisi pour ma visite.

— Ah, murmura-t-elle.

Ce n'était pas à elle de faire le moindre commentaire. M. Strickland avait ses raisons, cela ne la regardait pas. Ce qu'elle ne comprenait pas, c'était le décalage qui existait entre tout à l'heure et maintenant. Tout à l'heure, il était déterminé à faire la meilleure impression sur cette petite fille, il avait voulu lui faire le plus joli cadeau possible. Et à présent, il renonçait. Pourquoi ?

Il se tenait toujours debout au milieu de la cuisine, qui paraissait avoir rapetissé en raison de sa taille imposante. Avec sur le visage une expression soucieuse.

Il lui adressa un bref regard et confia d'un trait :

— Voyez-vous, je n'ai pas voulu troubler le Noël d'Ivy. Je n'ai pas osé déranger ceux qui s'occupent d'elle. Je me suis dit que ce serait abusif et indiscret de ma part.

Il hésita un instant, manifestement mal à l'aise, et poursuivit du même ton découragé :

— Et puis je me suis dit également que la petite ne comprendrait pas qu'un inconnu débarque ainsi brusquement dans son univers en se présentant comme…

Il s'interrompit brusquement.

Comme *quoi* ? se demandait Joanna qui serrait nerveusement le sac contenant la licorne.

N'osant poser la question trop personnelle qui lui brûlait les lèvres, elle interrogea sur un ton volontairement détaché :

— Qu'allez-vous faire, maintenant ?

— Bah, j'ai réservé une chambre dans un petit hôtel de la ville.

— Ah bon ?

— Je vais y rester jusqu'à ce que la fête de Noël soit finie, et je me rendrai chez les Marten le lendemain, quand les festivités auront cessé. Ce sera plus simple.

— Eh bien, si vous allez voir Ivy en définitive, gardez ce petit cadeau pour elle.

Elle lui remit de force dans les mains le sac contenant la licorne. Comme elle insistait pour qu'il garde le sac, elle sentit la chaleur de ses doigts contre les siens et en fut toute remuée.

— Non, protesta Hugh Strickland en la fixant de son magnifique regard. C'est trop gentil de votre part. Je suis venu spécialement pour vous rendre la licorne. C'est un présent que vous aviez destiné à l'un de vos frères et sœurs, et je ne veux pas l'en priver.

Le cœur de Joanna battait à toute allure. Elle se sentait bouleversée d'être si près de lui. Leurs mains se touchaient encore, et leurs regards restèrent soudés un long moment — bien plus que nécessaire. Une intensité presque pathétique les liait à cet instant précis. Elle avait l'impression qu'il ne s'en fallait que d'un cheveu pour qu'ils se jettent dans les bras l'un de l'autre. Jamais de toute sa vie elle n'oublierait cet instant.

Mais peut-être tout cela ne se passait-il que dans son imagination.

— Gardez cette petite licorne, finit-elle par dire dans un murmure, la gorge serrée par l'émotion. Cela fera plaisir à Ivy, vous verrez.

Il eut un bref sourire.

— Puisque vous insistez, j'accepte volontiers. Après tout, vous devez savoir bien mieux que moi ce qui fait plaisir à des petites filles de cet âge-là. Pour ma part, la seule expérience des enfants que je possède se limite à un bébé de six mois : ma filleule. En dehors d'elle, les enfants me semblent appartenir à une autre planète !

En écoutant cette voix, Joanna avait l'impression d'être transportée sur des rivages enchanteurs. Elle planait, elle buvait un breuvage magique et ensorceleur…

Il fallait qu'elle se calme. Elle était en train de devenir folle ! Cet homme allait repartir bientôt, et elle n'entendrait plus jamais parler de lui.

— Tous les enfants adorent les cadeaux, assura-t-elle, très troublée. Les petits, les grands, les garçons et les filles… Il n'y a pas d'exception.

— Vous savez ce dont vous parlez, commenta-t-il avec un sourire amusé. Avec une famille si nombreuse !

Il s'interrompit et changea de visage en un instant.

Elle fut surprise par la gravité soudaine qui paraissait la sienne quand il chercha de nouveau son regard.

— Il y a aussi quelque chose que je voulais vous demander, Joanna, murmura-t-il après un temps d'hésitation.

Elle eut l'impression que son cœur faisait un gigantesque bond dans sa poitrine.

— Je… je vais me permettre de faire appel une nouvelle fois à votre gentillesse, poursuivit-il d'un ton tendu.

— Je suis tout à fait disposée à… Hum… De quoi s'agit-il ?

Seigneur ! Elle était en train de perdre à la fois la voix et l'esprit. Pourquoi était-elle si émotive ?

— J'aimerais que vous veniez avec moi lorsque je retournerai à Agate Downs.

Stupéfaite, elle le dévisagea sans comprendre.

— Mais pourquoi ? Pourquoi moi ?

— Vous connaissez Ivy, et puis vous avez l'habitude des enfants, avec vos nombreux frères et sœurs. Moi, je n'ai aucune expérience des enfants.

Elle eut un rire timide.

— Vous savez, je ne suis pas une experte en ce qui concerne les enfants. Il y a des gens qui s'en occupent bien mieux que moi.

— Mais vous en avez l'habitude. Et puis…

Il suspendit sa phrase, l'air très tourmenté.

— Et puis il y a quelque chose que je dois vous dire, Joanna.

Son cœur continuait à tambouriner à coups sourds dans sa poitrine, et c'est d'une voix à peine articulée qu'elle murmura :

— Oui ? Quoi donc ?

Il la fixa un long moment sans répondre, le regard fiévreux.

— A vrai dire, il s'agit d'une situation assez compliquée, marmonna-t-il.

Il demeura encore une pleine minute sans proférer le moindre mot, puis sembla se décider.

— Ivy est ma fille, dit-il d'un trait, sans la quitter des yeux.

Joanna essaya d'avaler sa salive, mais sa gorge était devenue subitement sèche. Elle avait plus ou moins pressenti ce qu'Hugh venait de lui avouer. A présent, elle était en quelque sorte délivrée par la vérité qui venait d'être dite.

Par une sorte d'automatisme, elle fixa son regard sur les mains de son interlocuteur. La seule bague qu'il portait — au petit doigt — était une chevalière familiale. Il ne portait pas d'alliance.

Comme s'il avait deviné son interrogation muette, celui-ci dit à mi-voix, avec un sourire triste :

— Je ne suis pas marié.

Il sembla hésiter une nouvelle fois, comme si la suite de la confession lui pesait.

28

— J'ai fréquenté la mère de ma fille il y a un certain temps… Depuis, j'ai appris qu'elle était morte.

— Mon Dieu ! murmura Joanna.

Elle désigna l'une des chaises de la cuisine.

— Asseyons-nous un instant, si vous le voulez bien, proposa-t-elle.

Hugh Strickland saisit le dossier d'une chaise de bois et s'installa sans manière tout près de la table, où il posa une main.

— Si je vous ai demandé cette aide pour Ivy, Joanna, je veux être tout à fait honnête avec vous. Je ne vous ai pas tout dit.

— Vous pouvez avoir confiance en moi.

— Il y a peu de temps que je connais l'existence de ma fille.

La stupéfaction frappa une nouvelle fois Joanna.

Hugh faisait manifestement des efforts pour rester maître de son émotion.

— *Très* peu de temps, à vrai dire, précisa-t-il à mi-voix.

— Cela a dû être un choc terrible pour vous, commenta-t-elle doucement. Comment se fait-il que vous n'ayez appris l'existence d'Ivy que récemment ?

Le raidissement passager de son visiteur lui indiqua qu'elle était allée probablement trop loin dans son questionnement. Mais lorsque leurs regards se croisèrent une nouvelle fois, elle vit qu'il était prêt à se confier.

— Linley, la mère d'Ivy, m'avait écrit une lettre pour m'annoncer l'existence de notre fille, mais cette lettre, je ne l'ai jamais reçue. Quelqu'un a sans doute empêché que j'en prenne connaissance. Et puis j'ai appris sa mort.

Bouleversée, Joanna revit le petit visage d'Ivy, si attachant. Elle aimait tellement voir la petite fille aller et venir joyeusement dans le magasin en dansant d'un pied sur l'autre. Et dire que cette pauvre enfant avait à peine eu le temps de connaître sa mère...

Elle fit un effort pour retenir les larmes qu'elle sentait monter à ses yeux malgré elle.

— C'est... C'est terrible, croassa-t-elle d'une voix à peine audible.

— Je ne vous ai pas dit le pire, soupira Hugh Strickland. Linley était tombée dans une grave dépression après la naissance de sa fille, et malheureusement elle...

Il s'interrompit. Sa voix se brisa.

— Elle s'est suicidée.

— Oh, non ! s'exclama Joanna, horrifiée.

Cette fois, elle ne put retenir ses larmes.

— Vous n'avez pas été mis au courant à ce moment-là ? articula-t-elle. Personne ne vous a prévenu ?

— Non. Personne. On m'a laissé croire qu'elle était morte dans un accident de voiture. Et, naturellement, on s'est bien gardé de me dire qu'elle avait donné naissance à Ivy.

Joanna se mordit la lèvre, bouleversée. Quelle histoire inextricable ! Cet homme avait-il raison de lui demander de l'aide à elle. Serait-elle capable de l'aider réellement ?

— La grand-mère d'Ivy est morte il y a peu de temps. Et c'est son testament, en fait, qui est à l'origine de ma venue ici. Dans ce testament, elle a spécifié que c'était à moi que revenaient les droits sur sa petite-fille.

— En quelque sorte, elle vous reconnaissait sa paternité ?

— Exactement. C'est pourquoi je suis venu dès que je l'ai pu. Mais je ne sais pas si j'ai eu raison de choisir la période de Noël. Les enfants de cet âge s'intéressent plus au Père Noël qu'à un visiteur inconnu, non ? Et si en plus le visiteur vient vous annoncer qu'il est votre père, cela risque de troubler quelque peu une petite fille.

Joanna hocha la tête, réfléchissant à tout ce qu'Hugh venait de lui confier.

— Et pourtant, il est bien possible qu'Ivy soit plus heureuse de votre venue que de celle du Père Noël, murmura-t-elle en souriant rêveusement.

— Alors, vous pensez que j'ai eu tort de différer ma visite ? interrogea-t-il en la scrutant attentivement.

Elle fit un effort pour avaler sa salive. La situation était véritablement inouïe : cet Anglais si beau, si distingué, venait lui demander conseil à elle !

Elle lui adressa un sourire encourageant.

— Vous avez agi instinctivement, et vous avez eu raison. Je pense qu'il faut savoir suivre son instinct dans la vie.

— Alors, vous êtes d'accord pour venir avec moi lorsque je me rendrai chez les Marten ?

Tous les instincts de Joanna se rassemblaient pour répondre par l'affirmative, et elle sourit à Hugh Strickland. C'est d'une voix ferme et tranquille qu'elle acquiesça :

— Bien sûr. Je pense que je pourrai vous être utile. Après tout, quand on a six frères et sœurs plus jeunes que soi, on sait un peu s'y prendre avec les enfants.

Son visiteur se leva, l'air tout à fait rassuré.

— Merci infiniment, Joanna. Eh bien, je ne veux pas abuser davantage de votre temps…

Joanna repensa aux cicatrices qui marquaient le bras d'Ivy. Devait-elle en parler à son père ? Probablement pas. Cette annonce intempestive ne ferait qu'ajouter à l'anxiété de celui-ci.

Elle se leva elle aussi et enfonça ses deux mains dans les poches de son jean.

— Nous irons donc voir Ivy le lendemain de Noël, nous sommes d'accord ? demanda-t-elle sur un ton enjoué.

Il fit un signe de tête et sourit.

— C'est d'accord, Joanna, confirma-t-il. J'apprécie beaucoup ce que vous faites pour moi, vous savez.

Comme il allait franchir la porte de la cuisine, elle reprit au passage :

— J'espère que vous ne serez pas trop mal installé dans votre petit hôtel.

— Bah, ça ira très bien.

— Ce n'est guère luxueux.

— Je m'en moque.

— Vous allez passer un Noël bien solitaire !

— Aucune importance.

Joanna le trouva soudainement très britannique, avec cette sorte de dédain impassible qui marquait son visage, ce sourire poli, élégant et lointain.

Sa mère, qui passait à ce moment dans le couloir, intervint dans la conversation.

— Vous allez passer Noël à l'hôtel, monsieur Strickland ? s'exclama-t-elle.

— Oh, j'y serai très bien, rassurez-vous, affirma-t-il avec un petit rire.

— Ce n'est tout de même pas là que vous allez prendre votre déjeuner de Noël ? insista-t-elle d'un ton scandalisé.

— Bien sûr que si ! Cela poserait-il un quelconque problème ? Je serai très bien dans cet endroit...

— Ah, vous n'allez pas passer un jour pareil dans ce lieu sinistre, dans une salle de restaurant éclairée au néon, avec des tables vides autour de vous !

— Je suis sûr que la nourriture y est très acceptable.

— Et moi, je suis sûre que non !

Joanna eut un petit rire. Elle voyait très bien où sa mère

voulait en venir : celle-ci allait proposer au visiteur de participer au repas de Noël familial. C'était tout Margareth Berry, ça ! Le cœur sur la main. Mais elle se sentait plutôt embarrassée par l'invitation qui n'allait probablement pas tarder.

En effet, sa mère poursuivait du même ton chaleureux et véhément :

— Vous allez venir déjeuner avec nous demain, pour le repas de Noël. Si, si ! J'y tiens ! Nous ne pouvons pas vous abandonner dans la salle de restaurant de cet hôtel de troisième zone !

Comme Hugh Strickland ébauchait un mouvement de protestation, elle insista avec feu :

— Nous ne sommes pas des gens particulièrement riches ou intéressants, mais vous ne vous ennuierez pas avec nous. Venez, je vous en prie ! Ce sera familial.

Joanna remarqua l'hésitation polie qui se lisait sur le visage de l'Anglais. Allait-il trouver une formule aimable, gracieuse, pour refuser ?

Ce ne fut pas le cas.

— Je serai ravi de venir à votre repas de Noël, affirma-t-il gaiement. Votre proposition me touche beaucoup.

Le lendemain, Hugh Strickland se présenta de manière ponctuelle à midi, comme on le lui avait proposé. Il tenait dans ses bras deux bouteilles de champagne d'une grande marque.

— Oh, il ne fallait pas ! s'écria joyeusement Margareth, d'un ton qui signifiait exactement le contraire. Allons vite mettre ces bouteilles au frais.

Joanna n'avait pas cherché à se faire particulièrement

élégante ce jour-là. Elle avait choisi une jupe toute simple et un chemisier de coton léger.

Elle présenta Hugh à tout le monde. Puis les enfants retournèrent à leurs jouets tout neufs, et son père fit asseoir le visiteur près de lui.

— C'est bizarre, dit Ralph Berry, le sourcil froncé, ce nom de Strickland me dit quelque chose. Comment donc aurais-je pu entendre parler de vous ?

— Je n'en ai aucune idée.

— Vous travaillez dans quel secteur ?

— Dans le… Hum, dans le transport aéronautique.

— En Angleterre ?

— Oui.

— Vous avez fait un bien long voyage, jusqu'en Australie !

De temps à autre, Joanna, qui s'activait à la mise en place du repas de famille, jetait à la dérobade un coup d'œil sur son invité : Hugh Strickland paraissait tout à fait à son aise dans cette famille nombreuse où les enfants s'agitaient avec exubérance.

Le repas se passa de manière joyeuse et absolument pas protocolaire. L'Anglais répondait avec simplicité et gentillesse aux questions qu'on lui posait. De temps à autre, il lui adressait un regard complice, ce qui ne manquait pas de provoquer chez elle des picotements de plaisir.

— Joanna, emmène donc M. Strickland sur la terrasse, lança gaiement sa mère à la fin du repas. Vous y serez plus tranquilles pour bavarder. Ici, on ne s'entend plus.

Chacun avec sa tasse de café à la main, ils sortirent donc sous la véranda.

L'air était tiède, parfumé par les odeurs de l'été. Ils s'accoudèrent à la balustrade et restèrent un moment sans rien dire. Puis l'Anglais se décida à rompre le silence.

34

— Vous avez décidément une famille très sympathique, Joanna.

— Vous trouvez ?

— Ils sont tellement spontanés, tellement vivants. Je suis très heureux d'avoir été invité. Je ne suis pas habitué aux familles nombreuses, et ce repas m'a beaucoup plu. Je suis sincère.

— Et vous, vous avez des frères et sœurs ?

— Je suis fils unique. C'est pour cela que je suis tellement étonné, fasciné même, par les grandes familles. La vie y est tout autre.

Joanna sourit.

— Pour ma part, il m'arrive de temps en temps de souhaiter être une enfant unique. Ce serait tellement plus… reposant !

Ils se mirent à rire simultanément. Puis ils demeurèrent de nouveau un long moment sans parler. Ils contemplaient, droit devant eux, la perspective qui dansait légèrement dans la chaleur de l'été australien : les maisons, les arbres, tout semblait flotter dans une brume liquide.

— Vous pensez à Ivy ? questionna Joanna au bout de plusieurs minutes.

— Comment avez-vous deviné ?

— Intuition féminine, tout simplement.

Elle avala son café qui était devenu tiède.

— Quel bouleversement cela a dû être dans votre vie, reprit-elle, pensive. Une petite fille de cinq ans qui surgit brusquement dans votre univers !

— C'est vrai. Ça m'a fait un sacré choc d'apprendre tout cela.

Hugh vida sa tasse lui aussi, et comme il s'apprêtait à la poser sur une petite table de la véranda, il constata que la tasse de Joanna était également vide.

Avec courtoisie, il lui prit la tasse des mains et déposa les deux tasses sur la table.

— Evidemment, je ne m'attendais pas à une nouvelle de ce genre, reprit-il. Vous imaginez ma surprise : un célibataire qui apprend soudainement qu'il est père d'une enfant de cinq ans ! Comment ce célibataire va-t-il bien pouvoir s'organiser pour élever cette petite fille ? C'est la question.

— Il va probablement lui falloir engager une gouvernante, hasarda Joanna en souriant.

— Certainement, oui. Mais il va bien falloir aussi, qu'il assume lui-même son rôle de père.

— Ivy n'est plus un bébé, elle est en âge de s'exprimer. Cela rendra la communication plus facile entre vous deux. C'eût été bien plus difficile si elle avait eu deux ou trois ans de moins. Vous allez voir, Ivy et vous allez devenir en peu de temps les meilleurs amis du monde, de véritables complices.

— Des « complices » ? répéta-t-il, l'air estomaqué.

— Je veux dire des amis, précisa-t-elle en souriant. De vrais compagnons.

— Avec une petite fille de cinq ans ? Cela me semble difficilement réalisable.

— Pourquoi pas ?

Hugh se gratta machinalement la tête.

— Avec un garçon du même âge, oui, peut-être, il pourrait y avoir une certaine complicité. Mais avec une fille...

— Ne soyez pas sexiste ! Les petites filles sont aussi douées que les petits garçons.

— Ce n'est pas ce que je dis, protesta-t-il. Je pense simplement que...

— Eh bien, vous vous trompez ! le coupa-t-elle avec un rire moqueur.

36

Il la dévisagea un instant, l'air à la fois surpris et admiratif.

— Tout ce que je souhaite, c'est que ma fille s'habitue à moi. Vous imaginez le drame si elle ne cesse de pleurer dans l'avion qui nous ramènera en Angleterre ?

— Ne vous faites pas de souci à l'avance. Les choses se passeront très bien, vous verrez. J'en suis sûre.

Il eut un nouveau sourire pensif, puis il leva les yeux et examina quelque chose au-dessus de leurs têtes.

— C'est du gui qui est suspendu là, non ?

— Oui, les enfants ont accroché ça l'autre jour, répondit-elle distraitement.

Puis elle se souvint brusquement du symbole du gui, et de la tradition qui consiste à s'embrasser à minuit sous une branche de cet étrange végétal.

— On respecte les traditions, ici, à ce que je vois, murmura Hugh.

Elle se sentit rougir jusqu'aux oreilles et demeura sans répondre.

— Eh bien, il faut respecter la coutume, non ? répéta-t-il d'une voix tendre et grave. C'est Noël, c'est bientôt la nouvelle année...

Tout émue, elle sentit des papillons voleter dans son estomac.

Hugh Strickland allait-il vraiment l'embrasser sous le gui ?

3.

Le regard d'Hugh se faisait plus intense, plus dense.

Joanna se sentit défaillir. Cet homme était tout simplement trop beau !

Grands dieux, elle devait se calmer, il n'y avait pas le feu ! Pourquoi était-elle si bouleversée par un éventuel baiser, un simple baiser traditionnel de nouvel an, qui se fait sur les deux joues ?

Elle se tourna vers lui, le cœur battant à tout rompre. Il la saisit sous les coudes, comme pour la soutenir. Elle espérait ardemment qu'il n'ait pas remarqué le tremblement qui s'était emparé d'elle.

— Bon Noël, Joanna, murmura-t-il avec douceur. Et pendant que nous y sommes, bonne année !

Il se pencha pour une bise conventionnelle sur la joue, mais à ce moment, il y eut entre eux une sorte de flottement, puis de renversement de situation...

Au lieu de la petite bise attendue, ce fut bel et bien un véritable baiser sur les lèvres qu'ils échangèrent ! Un baiser plein de fougue et d'ardeur.

Cette fougue venait-elle de lui ? D'elle ? Peu importait. Ce qui comptait avant toute chose, c'était cette ferveur, cette exaltation qui les unissait.

Les belles mains d'Hugh Strickland l'attirèrent contre

lui avec force et douceur. Elle se retrouva plaquée contre le grand corps solide de l'Anglais, et ce qu'elle ressentit fut si extraordinaire qu'elle eut l'impression qu'elle allait défaillir de plaisir.

Jamais, avec aucun homme, elle n'avait éprouvé une telle sensation. C'était comme une merveilleuse ivresse.

Mais soudain, elle se raidit. Elle venait d'entendre un bruit de pas derrière eux.

Bill et Eric apparurent. Ils les fixaient avec des yeux ronds, la bouche entrouverte, l'air parfaitement ébahi.

— Eh bien, grommela-t-elle avec humeur. Vous n'avez jamais vu des gens qui se font la bise sous le gui du nouvel an ?

Les deux garçons, l'air un peu honteux, baissèrent timidement les yeux.

— Hum… C'est-à-dire… Pas comme ça, murmura Bill.

— Allez, disparaissez. Je ne veux plus vous voir ! gronda-t-elle.

Ils sortirent aussitôt.

Inquiète, elle leva les yeux vers son compagnon. Celui-ci fronçait les sourcils, il semblait à la fois mal à l'aise et contrarié.

Pourquoi l'avait-il embrassée, alors ? Ce n'était tout de même pas une stratégie de sa part pour qu'elle l'accompagne à Agate Downs. Non, ça ne tenait pas debout.

Pourtant le fait était là : ce baiser n'avait pas été donné du bout des lèvres. Elle avait bien senti la passion qui l'animait, lui aussi.

Peu de temps après, Hugh Strickland prit congé, et tout le reste de la journée, elle ne cessa de repenser à cet extraordinaire moment, à ce mémorable baiser qu'ils avaient échangé, à ce trouble merveilleux qu'elle avait ressenti avec lui.

Hugh se sentait terriblement nerveux.

Il détestait se trouver dans cet état. Ce n'était pas sa nature. D'habitude, il était à l'aise en toute situation, plein de confiance en lui, plein d'optimisme.

Mais ce n'était pas le cas aujourd'hui, et tandis qu'il conduisait vers Agate Downs, il sentait des contractions fort désagréables au niveau de son estomac. Il s'efforçait de se maîtriser, mais ce n'était guère facile.

Joanna, assise à côté de lui, paraissait au contraire très calme, très confiante. Mais il était bien possible que cette apparence soit quelque peu forcée. Il était probable qu'elle ait le trac, elle aussi, même si elle n'en laissait rien paraître.

Bon sang, il avait adoré la manière dont elle avait réagi à leur baiser !

Elle s'était donnée avec une surprenante passion, et il aimait cela. Ils n'avaient pas reparlé de ce baiser, n'y avaient pas fait la moindre allusion, mais une sorte de complicité silencieuse s'était établie entre eux depuis cette fabuleuse étreinte.

Ils arrivèrent bientôt en vue du domaine où vivaient les Marten.

— Je vais ouvrir la grille, déclara Joanna sur un ton décidé.

Elle sortit et poussa les vieilles portes rouillées par le temps.

Hugh se sentait de plus en plus ému. Il approchait de la minute de vérité, celle où il allait enfin voir sa fille pour la première fois. Comment les choses allaient-elles se passer ? Comment Ivy l'accueillerait-elle ?

Et, avant tout : comment était-elle ? A qui ressemblait-elle ? A sa mère ? A lui ?

Toutes ces questions se bousculaient dans son esprit. Il se sentait affreusement anxieux.

Au moment où ils sortaient de la voiture, Joanna dit sur un ton détaché :

— Vous n'oubliez rien ?

Il la dévisagea, dérouté. Il ne comprenait pas où elle voulait en venir.

— La licorne ! dit-elle en souriant.

— Ah, oui, c'est vrai.

Elle lui tendit le sac rouge qui enveloppait la peluche.

Ils marchèrent vers la maison des Marten. Une ancienne ferme qui avait l'air quelque peu délabrée.

— Ne vous inquiétez pas, murmura Joanna d'un ton rassurant. Tout va bien se passer. Détendez-vous, soyez vous-même, Hugh. Ivy a de la chance d'avoir un père tel que vous !

Il lui sourit, toujours crispé. Il lui était reconnaissant de l'encourager ainsi.

— Je suis sûre qu'elle va vous aimer tout de suite, poursuivit Joanna.

La porte d'entrée fut ouverte par un homme à l'air austère. Noel Marten ne souriait pas. Sous d'épais sourcils, ses yeux étaient sombres et méfiants.

— J'imagine que vous êtes Strickland ? interrogea-t-il d'une voix bourrue.

— Exactement, répondit Hugh. Je vous ai dit au téléphone que je passerais le lendemain de Noël, et...

— Mouais.

Du fond de la maison, on entendit une voix féminine.

— Qui est-ce ?

Marten répondit par-dessus son épaule du même ton maussade :

— C'est lui. C'est Strickland !

Hugh ferma les yeux l'espace d'une seconde. Ça se passait beaucoup moins bien qu'il ne l'avait espéré. Il jeta un coup d'œil inquiet en direction de Joanna. Elle s'efforçait de sourire, par politesse, mais paraissait très nerveuse, elle aussi.

Ellen Marten apparut. Elle se frottait les mains sur son tablier. Son visage était anxieux.

Hugh tressaillit.

Il venait d'apercevoir tout au fond du couloir, dans l'ombre, un petit visage d'enfant qui le fixait avec des yeux ronds, tout agrandis par l'étonnement.

Ivy !

Son enfant, sa petite fille !

Elle se dissimulait derrière une porte et examinait les nouveaux venus avec un regard grave et attentif.

— Entrez donc, M. Strickland, lança Ellen Marten d'une voix polie.

Comme elle dévisageait Joanna d'un air étonné, celle-ci s'avança d'un pas.

— Bonjour, Ellen, dit-elle en souriant. Vous êtes surprise de me voir, c'est bien compréhensible. C'est M. Strickland qui m'a demandé de l'accompagner, étant donné que je connais Ivy : vous comprenez, il était si ému à la perspective de cette première rencontre…

— Je vois, murmura Ellen Martin, toujours soucieuse.

Pendant ce temps, Hugh, le cœur serré, plissait les yeux pour essayer de distinguer le visage de sa fille qui restait timidement à l'écart. Dans l'ombre, il ne parvenait pas à bien distinguer ses traits.

Ivy avait-elle hérité génétiquement de sa mère ou de lui ?

Linley avait été une très belle femme, aux cheveux d'un roux flamboyant, avec une peau laiteuse, très délicate. Lui ressemblait-elle ?

Ellen Marten se rendit subitement compte de la présence de la petite fille.

— Ah, la coquine ! Je t'avais pourtant dit de rester dans la cuisine ! D'attendre sagement !

— Moi, je veux pas rester dans la cuisine ! protesta une voix flûtée, délicieusement musicale.

Joanna se tourna vers Hugh avec un sourire amusé.

— Elle a du caractère, commenta-t-elle gaiement.

— Elle a *son* caractère, confirma Ellen Marten en fronçant les sourcils.

Hugh eut envie de répondre : « Tant mieux, j'aime les enfants qui ont du caractère ! », mais une boule s'était formée dans sa gorge. Il se sentait incapable de proférer le moindre mot. L'émotion lui coupait dramatiquement le souffle.

Il dévorait des yeux la petite fille qui s'était avancée dans le couloir, curieuse de ces deux visiteurs qui s'intéressaient tellement à elle.

Ivy était vêtue d'une simple robe rouge en coton, une petite robe d'été. Elle était pieds nus. Il remarqua ses cheveux noirs et bouclés, comme les siens, puis il vit la couleur de ses yeux. Verts. Ils étaient verts, également comme les siens !

Son nez, sa bouche, son menton, ses oreilles, tout chez elle était merveilleusement dessiné, délicat et féminin. Des sourcils noirs joliment marqués surlignaient ses grands yeux ardents, pleins d'intelligence.

Il sentit son cœur se gonfler d'orgueil. C'était sa fille… *Sa* fille ! elle était superbe. Mon Dieu, quelle chance était la sienne ! Comme il était heureux !

— Approche-toi, Ivy, proposa Joanna d'une voix amicale. Viens dire bonjour à ton visiteur.

« Viens dire bonjour à l'homme qui est ton père », pensa Hugh, très ému. « Viens faire la connaissance de l'auteur de tes jours ».

Mais il demeurait silencieux, presque en retrait. Il ne voulait pas brusquer la rencontre. Il était si bouleversé qu'il en oubliait de sourire.

— Allez, Ivy, enchaîna Ellen Marten. Va dire bonjour à ce monsieur.

La petite fille hésitait. Elle s'était arrêtée au milieu du couloir et mordillait son pouce, indécise.

— Allons ! insista Ellen Marten d'une voix autoritaire. Approche-toi, maintenant que tu es là !

Après une nouvelle hésitation, Ivy répondit d'un ton décidé :

— Non. Je veux pas.

Hugh sentit son cœur se glacer. Sa petite fille s'obstinait dans sa réserve.

Il songea non sans une amertume pleine d'ironie à ses amis à Londres, qui l'enviaient pour sa capacité à faire craquer n'importe quelle femme entre dix-sept et soixante-dix-sept ans… Et il se révélait incapable de faire fléchir le cœur d'une petite fille de cinq ans !

Du regard, il lança une nouvelle fois un appel au secours en direction de Joanna, laquelle comprit aussitôt le message.

Elle fit un pas dans la direction d'Ivy et la salua d'une voix douce.

— Bonjour, Ivy.

— Bonjour, Jo, répondit immédiatement l'enfant, manifestement en confiance.

Apparemment, elles se connaissaient depuis un bon moment, toutes les deux, et elles s'aimaient bien. Joanna lui avait dit qu'elle adorait les visites de la petite fille dans le magasin et qu'elle n'oubliait jamais de lui laisser un petit cadeau au passage.

— Je t'ai amené un visiteur, expliqua Joanna du même ton complice. Il est venu en avion, de très loin, spécialement pour te voir.

— En avion ? murmura Ivy, étonnée.

— Et il a un joli cadeau de Noël pour toi.

— C'est quoi, comme cadeau ? questionna Ivy en s'approchant d'un pas, prudemment.

Joanna montra le sac rouge avec un large sourire.

— C'est ça !

— Qu'est-ce que c'est ?

Hugh assistait à la scène sans un mot, intimidé.

— Une licorne, annonça gaiement Joanna. Une magnifique licorne.

— C'est quoi, une licorne ?

— Ça ressemble à un poney, avec une corne sur le haut de la tête. C'est un animal magique, précisa Joanna sur un ton mystérieux.

Intriguée, Ivy avança d'un nouveau pas.

Le cœur battant à tout rompre, Hugh fixait sa fille, fasciné par la beauté de l'enfant. Il voyait plus clairement ses traits, à présent. Il avait l'impression de ne jamais avoir vu de sa vie un visage aussi adorable.

— Ouvre le paquet. C'est pour toi, reprit doucement Joanna. La licorne est à l'intérieur.

Elle tendit le sac à la petite fille qui le saisit et le garda contre elle, les deux mains serrées sur ce cadeau inattendu.

La gorge serrée par l'émotion, Hugh se décida enfin à intervenir.

— Ouvre, Ivy. C'est pour toi, dit-il d'une voix éraillée.

Elle lui tendit le paquet.

— Ouvre-le, toi, demanda-t-elle, les yeux brillants de plaisir.

— D'accord, répondit-il en commençant à défaire l'emballage.

Ivy, le visage grave, le regardait faire avec une attention extrême.

Lorsque les papiers furent enlevés, la licorne en peluche apparut dans toute sa splendeur.

Ivy, les yeux arrondis, la bouche entrouverte, fixait l'animal, visiblement fascinée.

— C'est vrai ? questionna-t-elle à mi-voix. C'est magique ?

— Hum... Eh bien, c'est-à-dire..., commença Hugh, embarrassé.

Il ne savait absolument pas comment expliquer le pouvoir magique que possédait l'animal. Il aurait pu disserter sur la mythologie, les contes et légendes qui parlent de licornes dotées de pouvoirs surnaturels, mais il se sentait trop ému, trop remué pour s'embarquer dans de telles explications.

Et puis la fascination qu'il éprouvait pour sa fille ne facilitait pas les commentaires.

Heureusement, Joanna vint à son secours en s'accroupissant près de la petite fille.

— Tu vois la petite corne, là ? dit-elle en posant un doigt sur la pointe qui se dressait sur le front de l'animal. C'est une corne enchantée. C'est à cause de ça que la licorne est un animal doté de pouvoirs magiques.

— Mais c'est magique comment ? interrogea Ivy, déconcertée.

Joanna leva un bref instant les yeux vers lui, qui se tenait toujours près d'elles, les yeux brillants des larmes qu'il s'efforçait de retenir.

— La preuve que cette licorne est magique, c'est qu'elle t'a ramené ton papa, expliqua doucement Joanna.

Ivy sembla se figer. Ses yeux s'arrondirent encore davantage, et son visage prit une expression de surprise extraordinaire.

Elle se tourna vers lui et murmura :

— Alors, c'est toi, mon papa ?

Elle l'interrogeait du regard avec une expression profondément grave et intense. Comme si elle avait attendu toute sa petite vie de connaître enfin la réponse à la question essentielle de son existence.

— C'est moi, oui, répondit Hugh, des larmes dans la voix. Je suis ton papa, ma chérie.

Il se plia, s'agenouilla devant l'enfant et déposa tendrement un baiser sur la petite joue douce comme un pétale de rose. Les larmes aux yeux, il serra contre lui la petite chose avec une tendresse infinie. Et, quand Ivy passa ses deux bras autour de son cou, il ne put retenir ses pleurs. Des larmes se mirent à couler le long de ses joues.

— Mon papa ! murmura Ivy en posant ses lèvres sur sa joue. Tu es mon papa !

Il crut que son cœur allait exploser tant son émotion était intense. C'était trop, trop d'un coup pour un seul homme. Il fit un effort énorme pour ne pas sangloter devant tous ces étrangers qui assistaient au spectacle.

L'instant était si pathétique que tout le monde paraissait retenir sa respiration. Même le vieux bougon de Noel Marten semblait ému. Sa femme essuyait discrètement le coin de ses yeux, et Joanna retenait avec peine ses sanglots.

Hugh, quant à lui, vivait l'un des moments les plus forts, les plus importants de sa vie. Et de toute sa vie, il ne pourrait oublier ce premier contact avec son enfant chérie.

Bouleversé, il passa une main sur les cheveux d'Ivy, caressa la chevelure noire et soyeuse de sa fille.

Elle fit un mouvement, et il aperçut son bras.

— Mon Dieu ! murmura-t-il d'une voix étouffée, épouvanté par le spectacle atroce.

Le petit bras était monstrueusement brûlé du poignet jusqu'à l'épaule. La chair semblait avoir été déchiquetée par une bombe. C'était effroyable.

Il sentit une rage terrible bouillir au plus profond de lui. Comment Ivy avait-elle pu être brûlée ainsi ? Que s'était-il passé ? Qui était responsable de ce massacre ? La révolte s'emparait de lui.

Ellen Marten, qui essuyait toujours ses yeux, commenta d'un ton mesuré :

— Elle vous a adopté, M. Strickland. C'est la première fois que je la vois aussi en confiance avec quelqu'un.

Hugh souleva sa fille de terre, la tint un moment bien haut, comme un trophée qu'on vient de remporter. Oui, c'était bien là la plus belle récompense qu'il eût jamais reçue.

Puis il la reposa doucement à terre, les yeux toujours mouillés.

— Je voudrais vous parler en particulier, déclara-t-il en se tournant vers les Marten. Pouvez-vous m'accorder dix minutes ?

Joanna prit Ivy par la main.

— Viens, ma chérie. Nous allons apprendre à ta licorne à voler. Tu sais, c'est un animal magique, qui peut voler. Il a simplement besoin d'une ou deux leçons…

Lorsque Hugh se trouva avec les Marten dans leur petit salon, il demanda sans préambule d'une voix nette et autoritaire :

— Je veux savoir exactement ce qu'il s'est passé. Pourquoi

Ivy a-t-elle été brûlée ? Dans quelles circonstances ? J'exige toute la vérité.

En voyant Ellen faire les bagages d'Ivy, Joanna eut la confirmation de ce qu'elle avait toujours pensé : malgré leur côté quelque peu austère, voire bougon, les Marten avaient su très bien s'occuper de la petite fille.

L'heure des adieux arriva bientôt. Quand Ivy monta dans le beau 4x4 de son père, les Marten essuyèrent quelques larmes.

Ils firent quelques signes de la main, et la voiture s'éloigna.

Ivy était installée sur la banquette avant, entre son père et Joanna. On lui avait soigneusement attaché la ceinture de sécurité. Elle tenait sa licorne tout contre elle, car elle refusait de s'en séparer.

— Comment pourrait-on l'appeler, ta licorne ? demanda gaiement Joanna tandis que la voiture s'engageait sur la route principale.

Ivy observa sa peluche d'un air très sérieux, très attentif, les sourcils froncés. Puis elle répondit de sa petite voix flûtée :

— Est-ce que c'est un garçon ou une fille ?

Joanna et Hugh s'adressèrent un regard complice et amusé par-dessus la tête de l'enfant.

— A ton avis ? dit Hugh en souriant.

— A mon avis, c'est un garçon. Comme mon papa.

— Alors, il faut lui donner un nom de garçon, commenta Joanna.

— Si on l'appelait Hugh, comme papa ? proposa Ivy, le doigt posé sur la corne.

— C'est une bonne idée, mais cela pourrait prêter à confusion, expliqua Joanna en riant.

— Je ne sais pas quel prénom lui donner, alors, marmotta Ivy, désemparée. Tu n'aurais pas une idée, toi ?

Joanna et Hugh échangèrent un nouveau regard.

— Pourquoi pas Howard ? proposa Hugh d'un ton dégagé. C'est bien, comme prénom, tu ne trouves pas ?

— Ce n'est pas un nom qui convient à une licorne ! railla gentiment Joanna.

— Howard, c'est très bien, décréta gravement Ivy. Moi, j'aime bien. Je l'appellerai Howard.

— Vous voyez, Joanna ! s'exclama Hugh d'un ton triomphal. J'ai le don de choisir les prénoms adéquats pour les jouets, non ?

Joanna remarqua brusquement la manière qu'avait la petite fille de regarder son père. Il y avait dans ce regard une admiration sans bornes. Il était son héros, il était le meilleur. Il était son père.

Jamais elle n'aurait osé espérer que les choses se passent aussi bien entre le père et la fille. C'était un véritable miracle.

Au bout d'une vingtaine de minutes, la tête d'Ivy glissa progressivement contre l'épaule de Joanna. La petite fille dormait profondément.

— Nous devrions l'installer chez moi, je veux dire chez mes parents, proposa Joanna d'une voix étouffée. Elle y sera bien mieux que dans votre hôtel.

— Votre proposition me touche, mais je ne peux pas abuser encore de la gentillesse de vos parents.

Il jeta un coup d'œil attendri sur sa fille qui serrait toujours Howard dans ses petites mains.

— Mais il est vrai qu'elle serait probablement plus à l'aise dans un milieu familial tel que le vôtre…

— Cela ne pose aucun problème. On pourra mettre un petit lit supplémentaire dans la chambre des filles. Il n'y a rien de plus simple. Ivy va être enchantée d'être installée avec des petites copines !

— Hum, trop enchantée, peut-être. Et il se peut que j'aie du mal à l'emmener ensuite. Elle risque de s'habituer.

— Ah, je n'avais pas pensé à ça, marmonna Joanna, pensive.

Après un temps d'hésitation, elle demanda sur le ton le plus dégagé possible :

— J'imagine que vous allez bientôt réserver un vol pour Londres ?

— C'est déjà fait.

Elle sentit son cœur se contracter douloureusement.

Elle considéra un moment Ivy qui était appuyée contre elle et dormait comme un ange, tout en serrant sa licorne en peluche. Les larmes montèrent à ses yeux. Ainsi, Ivy allait disparaître de sa vie ! Et son père également ! Oh, c'était trop triste…

— Quel jour avez-vous prévu de partir ? questionna-t-elle, la gorge serrée.

— Demain.

— Déjà !

Elle avait presque crié, tant sa déception était vive. Elle aurait souhaité qu'Ivy et son père restent encore quelques jours. Elle aurait tellement aimé passer un peu de temps avec eux !

Demain !

— Vous avez réussi à trouver un vol aussi rapidement ? dit-elle, désemparée. D'habitude, on doit attendre plusieurs jours…

— Cela n'a pas posé de difficultés. Je connais suffisamment de monde dans les transports aériens.

— Ah, oui, c'est vrai. J'avais oublié que vous travaillez dans ce secteur. Alors, vous devez bénéficier de tarifs préférentiels ?

Il eut un sourire pensif.

— Oui, murmura-t-il.

Ils restèrent silencieux un long moment. Puis Joanna reprit avec une tonalité délibérément optimiste :

— Je suis sûre que ce voyage ne posera aucun problème. Ivy vous a adopté, maintenant. Elle sera très heureuse d'être auprès de vous dans l'avion.

Hugh tourna un instant la tête vers elle. Il tendit la main et pressa la sienne.

— Merci, Joanna, murmura-t-il avec émotion.

Elle s'essaya à sourire, mais au fond d'elle-même elle avait terriblement envie de pleurer à chaudes larmes.

Tilly et Grace, les deux dernières de la fratrie Berry, avaient déjà vu Ivy dans le magasin. C'est pourquoi les trois petites filles ne furent pas longues à être en confiance.

— Qu'est-ce que tu t'es fait, à ton bras ? questionna bientôt Tilly d'un ton inquiet.

— Je me suis brûlée quand j'étais petite. Avec de l'eau bouillante.

— Ça te fait mal ?

— Non, plus maintenant.

— C'est vraiment pas beau, commenta Grace en faisant la grimace.

— Bon, on joue à la poupée ? reprit Tilly du ton de celle qui n'a pas de temps à perdre.

Joanna les observa, pensive. Comme tout cela était « normal », et à la fois étrange, dans tous les sens du terme.

Hugh s'approcha discrètement d'elle.

53

— Il faut que je vous parle, dit-il, le visage grave. Nous serions mieux à l'extérieur.

— Comme vous voulez, répondit-elle, étonnée par cette demande insolite.

— Allons à mon hôtel, nous y serons plus à l'aise pour bavarder.

Joanna rougit. Elle avait entendu la demande d'Hugh dans un sens que ce dernier n'avait certes pas voulu lui donner. Elle imaginait un rendez-vous amoureux, plein de passion, alors que l'Anglais ne souhaitait qu'un endroit paisible, sans cris et sans enfants.

Peu de temps après, ils étaient installés à une petite table, dans un coin du jardin de l'hôtel, à l'ombre.

Il faisait chaud, très chaud. Rien de plus normal pour une fin de mois de décembre.

— Quand vous serez de retour chez vous, en Angleterre, il ne fera pas le même temps ! plaisanta Joanna, souhaitant démarrer la conversation sur un mode léger.

En fait, elle se sentait très anxieuse, très tendue. Le départ prochain de cet homme merveilleux et de sa fille la désespérait. Quel vide ils allaient laisser dans sa vie !

— Il paraît qu'il neige à Londres, chez moi, répondit Hugh avec un sourire triste.

— Dans quel coin de Londres habitez-vous ?

— J'ai une maison à Chelsea.

— Oh, les quartiers chic !

— C'est un endroit très agréable, très central. J'avoue que je m'y sens bien.

Joanna hocha la tête. Elle réalisait à quel point elle connaissait peu cet homme. Elle ne savait pratiquement rien de lui. Ni son âge, ni sa profession réelle, ni sa situation familiale... Hugh Strickland demeurait un mystère entier pour elle.

Le garçon de l'hôtel passa pour leur demander ce qu'ils souhaitaient boire.

— Un vin rouge, frais et léger, cela vous va, Joanna ?

Elle fit « oui » d'un signe de tête, distraitement. Une fois le garçon disparu, elle demanda posément :

— Vous vouliez me parler, Hugh ? Vous avez souhaité être dans un endroit calme. Nous y sommes. Je vous écoute. Qu'est-ce qui vous tracasse ?

— Ivy, répondit-il simplement.

— Vous avez un trésor d'enfant, commenta-t-elle avec un sourire attendri.

— N'est-ce pas ?

— J'ai rarement vu une petite fille avec un aussi joli visage.

— C'est vrai.

— Vous avez beaucoup de chance, assura-t-elle, les yeux brillants. Ivy est merveilleuse…

Hugh eut un sourire rêveur, heureux, puis son visage s'assombrit.

— Quand j'ai vu son bras, j'ai cru m'évanouir, confia-t-il d'une voix émue. D'après les explications que m'ont données les Marten, Ivy a été très gravement brûlée à l'âge de deux ans par une bassine d'eau bouillante, dans une cuisine. La personne qui s'occupait d'elle s'est éloignée quelques instants, et Ivy s'est approchée du fourneau. Elle est restée longtemps à l'hôpital. On lui a fait toute une série de greffes. Il est encore possible d'effectuer de nouvelles greffes afin d'atténuer l'état effrayant de son bras. Je connais heureusement l'un des meilleurs spécialistes londoniens des greffes de peau. Nous étions au lycée ensemble. Dès que nous serons à Londres, Ivy et moi, je lui téléphonerai.

L'une des mains de Joanna reposait sur la table, à proximité de son verre de vin. Hugh la prit dans la sienne, mais elle se dégagea aussitôt, par pudeur ou par timidité.

Elle saisit son verre et but une gorgée, le visage soucieux.

— Joanna, j'aimerais que vous veniez avec nous en Angleterre, déclara brusquement Hugh à mi-voix.

Il avait fait sa demande d'un trait, rapidement, comme s'il avait déjà attendu trop longtemps.

Elle scruta son visage, stupéfaite.

Elle demeurait muette, incapable de répondre à une telle proposition. Les battements de son cœur s'étaient brusquement accélérés. Les choses prenaient une tournure qu'elle n'avait pas imaginée.

— Je comprends que ma demande vous paraisse très surprenante, reprit Hugh d'un ton plus assuré. Mais j'ai bien réfléchi. Je constate à quel point Ivy vous apprécie, vous aime. Que va-t-il se passer lorsqu'elle sera en Angleterre avec moi ? Vous allez lui manquer, c'est certain. Voilà pourquoi je vous propose de vous occuper d'elle — en particulier lorsque je serai pris par mon travail. Je vous payerai convenablement, n'ayez aucune crainte à ce propos. Je souhaite vraiment que vous veniez avec nous.

Joanna se mordilla la lèvre, désemparée. Hugh Strickland lui proposait en quelque sorte un emploi de gouvernante, de nounou pour sa fille. Dans son imaginaire — ou dans son inconscient —, elle aurait souhaité autre chose, mais évidemment c'était tout à fait absurde.

Elle ne vivait pas dans un conte de fées, se dit-elle, mécontente d'elle-même. Il fallait rester les pieds sur terre. Elle espérait peut-être que ce prince charmant l'enlèverait pour ses beaux yeux ? Eh bien, ce n'était pas le cas.

Elle saisit une nouvelle fois son verre de vin et avala une

gorgée, puis elle répondit avec pondération, tout en évitant de regarder son interlocuteur en face :

— Je suis désolée, Hugh. J'ai un travail à Brisbane. Je ne peux pas tout abandonner comme ça…

— Que faites-vous, à Brisbane ? interrogea-t-il, un sourcil levé.

— Je suis comptable.

Hugh eut l'air surpris.

— Comptable ? répéta-t-il en souriant. C'est amusant. Je ne vous voyais pas du tout faire un métier pareil.

— Pourquoi ?

— Vous avez l'air trop…

Comme il hésitait, elle l'encouragea d'un rire léger.

— Trop quoi ?

— … Trop paisible, trop tranquille.

Elle eut cette fois un rire franc.

— Je suis une comptable paisible, assura-t-elle gaiement.

Il sourit encore et s'appuya contre le dossier de sa chaise en la considérant d'un regard bienveillant.

— Mais vous ne faites pas de comptabilité, en ce moment, dans le magasin de vos parents ?

— Non. Je les dépanne pendant les fêtes de fin d'année, de manière à ce que ma mère ait moins de travail. Je fais ça tous les ans. Mais je serai de retour à Brisbane dans trois semaines.

Hugh examinait son verre de vin, tout pensif.

— Dans trois semaines, répéta-t-il, songeur.

Ils demeurèrent un moment silencieux, puis Joanna demanda timidement :

— Vous ne connaissez pas quelqu'un qui puisse s'occuper d'Ivy, à Londres ? Je ne sais pas : un membre de votre famille, une amie…

Il fronça les sourcils.

— Vous avez bien une petite amie ? hasarda-t-elle prudemment. Une compagne ?

— J'en avais une, mais nous nous sommes séparés récemment. A cause d'Ivy, justement.

— Ah ? s'étonna-t-elle, interloquée. Comment cela ?

— Notre relation n'allait déjà pas très fort. Mais quand je lui ai dit que j'allais rechercher ma fille à l'autre bout du monde, elle a mal pris la chose — de manière absurde, d'ailleurs. Et nous nous sommes séparés.

— Elle changera peut-être d'avis si vous lui faites connaître Ivy ?

Il secoua la tête en souriant tristement.

— Je n'ai aucune envie de lui présenter ma fille. D'ailleurs, je ne vois pas, à Londres, qui saurait comprendre et aimer Ivy. Il n'y a que vous, Joanna. Vous êtes comme une mère pour elle. C'est pour cela que je vous ai proposé de venir avec nous.

Ebranlée par ce qu'il venait de dire, elle hésita. La proposition était tentante. Il serait tout à fait possible pour elle de passer une quinzaine de jours à Londres, le temps d'aider Ivy à s'adapter à son nouvel environnement.

— Vous avez peut-être un petit ami qui vous retient de partir ? questionna Hugh en sondant attentivement son regard.

Prise au dépourvu, elle secoua la tête avec un sourire tendu.

— Non. Je… Hum… Je n'ai personne pour le moment.

Depuis Damien, en effet, elle n'avait connu aucun homme, mais elle ne souhaitait pas rentrer dans les détails, sur un sujet aussi décevant.

Joanna était très perplexe. Elle balançait entre le oui et le non. Il lui était possible de passer ces deux prochaines semaines à Londres pour s'occuper d'Ivy, en attendant qu'Hugh trouve une personne de confiance pour la remplacer, et cela lui faisait envie, elle ne pouvait le nier. D'un autre côté…

— Quel serait mon… Je veux dire : à combien estimeriez-vous le dédommagement financier pour mon déplacement jusqu'à Londres ?

Lorsqu'il lui annonça le chiffre, elle faillit s'étouffer, tandis qu'elle buvait une gorgée de vin pour se donner confiance.

— C'est beaucoup trop, protesta-t-elle à mi-voix, avec un sourire gêné.

— Non. Cela ne me pose aucun problème.

— Sans doute possédez-vous des moyens financiers importants. Quelle est au juste votre profession ? Vous ne m'en avez pas parlé.

— Je travaille dans le secteur aéronautique, répondit-il, évasif.

Il ne souhaitait manifestement pas donner de plus amples explications.

— Et cela me permet de vous obtenir votre billet d'avion sans difficultés, précisa-t-il d'un ton bref.

— Il faut que je réfléchisse, murmura-t-elle, toujours hésitante.

Elle but une gorgée de vin et respira profondément. Il ne fallait pas décider n'importe quoi par impulsivité. Il ne s'agissait pas de se précipiter dans l'avion pour la simple raison qu'Hugh Strickland était l'homme le plus séduisant qu'elle ait jamais rencontré.

Il lui fallait être raisonnable.

D'un côté, il y avait Ivy, et tout le réconfort qu'elle pouvait apporter à la petite. Et puis il ne fallait pas négliger, non plus, cette coquette somme que son père lui offrait pour le « dérangement ». Enfin, deux semaines à Londres constitueraient un dépaysement agréable, des vacances, en quelque sorte.

D'un autre côté, elle aurait pu répugner à laisser sa mère toute seule, mais l'argument n'était pas fondé : les fêtes étaient à présent passées. Elle était libre de partir. Existait-il d'autres raisons pour ne pas accepter l'offre qu'on lui faisait ?

Oui. Hugh lui-même.

Hugh Strickland, avec son charme insensé, sa splendeur, son sourire irrésistible... Comment pourrait-elle résister à un tel individu ? Si elle partait, elle allait sans aucun doute tomber follement amoureuse de lui, jour après jour. Et quand elle devrait repartir, c'est là que les choses se compliqueraient pour elle.

— Je suis désolée, Hugh, murmura-t-elle d'un ton morne. J'aimerais pouvoir vous rendre service, mais cela ne m'est pas possible.

La consternation qui se lut sur le beau visage de l'Anglais parut si vive qu'elle faillit revenir aussitôt sur son renoncement.

Elle se leva aussitôt pour éviter de faiblir. Elle se sentait fragile.

— A quelle heure viendrez-vous chercher Ivy, demain ? questionna-t-elle, la gorge serrée.

— Je vais la chercher dès maintenant, répondit-il de manière glaciale. Elle a passé suffisamment de temps avec vous. Je ne veux pas qu'elle s'attache davantage.

— Que se passe-t-il, ma chérie ? Tu en fais, une tête ! s'exclama sa mère lorsque Joanna fut de retour.

— Hugh Strickland m'a proposé de les accompagner à Londres, lui et Ivy. Et j'ai refusé.

Sa mère secoua la tête.

60

— Tu as eu tort, ma chérie. Tu as eu tort.

— Mais tu as besoin de moi au magasin, non ?

— Tu plaisantes ? Je peux très bien me passer de ton aide, surtout maintenant que les fêtes de Noël sont terminées. Tu m'as donné un grand coup de main, comme d'habitude, et je t'en remercie infiniment. Mais il faut que tu te sentes libre, à présent. Comprends-tu ?

Joanna ne savait plus trop que penser.

— J'ai hésité, et finalement je n'ai pas osé accepter.

— Il fallait accepter. Dans la vie, il faut savoir oser, quelquefois. Je pensais que tu étais plus courageuse que cela, ma chérie.

— De quel courage parles-tu ? De quoi aurais-je peur ?

— D'Hugh Strickland, naturellement.

Joanna se mordit la lèvre. Sa mère avait raison.

— Ce monsieur est un vrai gentleman, un homme extra-ordinairement beau. Et, en plus, il a un faible pour toi, ça se voit. C'est sans doute cela qui te fait peur, ma petite fille.

— Il m'a demandé de venir pour m'occuper d'Ivy, c'est tout.

— Non, ce n'est pas tout. Il suffit de l'observer pour voir qu'il a un faible pour toi. Je me répète, mais c'est ainsi.

— Mais moi, je ne suis pas amoureuse de lui !

Sa mère la considéra d'un œil dubitatif et lança d'un ton moqueur :

— Ah, vraiment ?

— Hum… Je ne…

— Tu permets que je te dise quelque chose de très important, Joanna ?

Elle fixa sa mère, étonnée de la voir prendre aussi nettement position.

— Dans la vie, ma fille, il ne faut pas manquer le coche.

Quand on manque le coche, il ne vous rattrape pas. Et l'on passe le reste de sa vie à regretter la décision que l'on aurait dû prendre, et que l'on n'a pas osé.

La lumière semblait éteinte dans la chambre d'hôtel d'Hugh Strickland. Celui-ci dormait-il déjà ?

Joanna frappa doucement à la porte.

Pas de réponse. Le silence.

Elle frappa plus nettement, et la porte s'ouvrit d'un coup.

La haute silhouette d'Hugh se tenait dans l'embrasure. Sa chemise n'était que partiellement boutonnée. Manifestement, il venait de s'habiller à la hâte en entendant qu'on frappait à sa porte.

— Bonsoir, Joanna.

Le ton était poli, mais il y manquait la chaleur habituelle.

Joanna se sentit mal à l'aise. Sa démarche n'avait rien de facile : elle venait annoncer à Hugh qu'elle changeait d'avis, et ce n'était pas simple à dire.

— Que se passe-t-il, Joanna ? reprit-il. Comment se fait-il que vous me rendiez visite à cette heure insolite ? Il y a un problème quelconque ?

Il parlait à voix basse, afin de ne pas réveiller Ivy. Le ton de sa voix était courtois, mais pas plus.

— Non, ce n'est pas vraiment un problème, mais... Je suis désolée de vous déranger.

— Vous ne me dérangez pas du tout. Allons sous la véranda, si vous le voulez bien. Ivy dort. Nous ne la dérangerons pas.

— Eh bien, Hum... J'ai réfléchi, Hugh. Je me suis dit

qu'il serait absurde de ma part de refuser la proposition que vous m'avez faite tout à l'heure.

L'Anglais la considéra d'un air étonné.

— Je... Je serais heureuse de vous rendre service, à vous et à Ivy, poursuivit-elle, troublée.

— Qu'est-ce qui vous a fait changer d'avis ?

— Je... J'ai pensé à Ivy. La pauvre petite a eu déjà une existence bien difficile. Et elle va brusquement changer d'environnement. S'il est en mon pouvoir de l'aider un tant soit peu, je dois partir avec vous. La transition se fera ainsi plus facilement pour elle.

Elle s'interrompit. Hugh se pinçait le menton, pensif. Le silence s'installa.

— Etes-vous sûre que votre famille va pouvoir se passer de vous ? interrogea-t-il au bout d'un moment.

— Absolument. J'en ai discuté avec ma mère. Elle m'encourage à partir.

— Ah bon ! fit-il, l'air amusé.

— Alors, je me demandais si votre proposition tenait toujours, dit-elle d'une voix mal assurée.

— Bien sûr.

Un nouveau silence se fit. Joanna se sentait de plus en plus mal à l'aise.

— Vous êtes certaine d'avoir envie de venir ? questionna-t-il posément.

— Oui.

— Vous avez un passeport en règle ?

— Oui.

— Eh bien, c'est parfait !

Il lui tendit la main.

— Marché conclu, annonça-t-il avec un sourire conventionnel.

Comme elle rentrait chez elle, Joanna se sentait un peu déçue.

Une poignée de main ! se dit-elle amèrement. Il lui avait serré la main, comme à un collaborateur anonyme. C'en était presque humiliant. Elle aurait souhaité une autre réaction. Un peu plus d'enthousiasme…

A présent, elle regrettait d'avoir changé d'avis. Quelle idée elle avait eu de prendre conseil auprès de sa mère !

4.

Hugh fixait avec morosité par le hublot la surface figée de l'océan, très bas au-dessous d'eux. Il se faisait du souci. Non pas pour Ivy, qui s'adaptait avec une facilité étonnante à toutes les nouveautés qui intervenaient dans sa vie. Mais pour Joanna qui réagissait bizarrement, elle, aux changements.

Cela avait commencé à l'aéroport de Sydney. Lorsque Joanna avait réalisé qu'ils n'allaient pas voyager dans un avion d'une compagnie aérienne traditionnelle mais dans un jet privé, elle avait paru se fermer.

— Que se passe-t-il, Joanna ? lui avait-il demandé en voyant son visage soucieux. Vous craignez que cet avion ne tienne pas l'air ?

Elle avait eu un rire bref, nerveux.

— Ce n'est pas cela, Hugh.

— C'est quoi, alors ? Vous avez l'air tout bizarre !

— Je suis impressionnée par votre avion privé. C'est la première fois que je voyage dans un avion particulier. Et puis, c'est la première fois également que je rencontre quelqu'un d'aussi...

Elle avait suspendu sa phrase.

Il guettait sa réponse avec un sourire amusé.

— Parlez sans crainte, Joanna, avait-il murmuré.

— Je ne suis pas habituée à rencontrer des gens aussi… Aussi riches, voilà ! avait-elle lâché.

Ce qui l'avait surpris, c'est qu'elle n'ait pas posé alors d'autres questions. Elle n'avait pas insisté, visiblement par discrétion, mais pendant le long vol vers l'Angleterre, elle lui avait paru presque triste. Effacée.

Certes, Joanna s'occupait merveilleusement bien de sa fille, elle était aux petits soins pour elle, mais elle paraissait soucieuse.

Durant ce long vol, il aurait bien aimé parler de choses et d'autres avec elle, il aurait même souhaité flirter un peu, pourquoi pas ? Mais elle s'était en quelque sorte mise à distance, préférant endosser le rôle de nounou qui était à présent le sien.

Et, jusqu'à ce qu'Ivy s'endorme, elles avaient joué toutes les deux à des tas de jeux sous ses yeux attendris. Ensuite, Joanna avait affiché son intention de se reposer, et il s'était retrouvé tout seul avec ses pensées.

Le lendemain, ils atterrirent à Stanstead, où Humphries, son chauffeur, les accueillit dans un garde-à-vous impeccable.

Celui-ci leur ouvrit respectueusement les portières de la limousine, et ils se dirigèrent aussitôt vers le centre de Londres.

La voiture s'engagea dans St Leonard's Terrace et s'arrêta dans un murmure feutré.

Joanna et Ivy ouvraient de grands yeux.

— Nous sommes arrivés, commenta-t-il gaiement en ouvrant lui-même sa portière tandis qu'Humphries quittait son siège pour ouvrir l'autre portière à Joanna et Ivy.

— C'est ta maison ? interrogea Ivy, éblouie, en levant les yeux.

— C'est notre maison, précisa Hugh.

— Elle est très très grande, commenta la petite fille en clignant les yeux.

Comme elle observait alentour les maisons luxueuses du quartier de Chelsea, elle demanda :

— Pourquoi toutes les maisons sont collées les unes aux autres ?

— Nous sommes dans une capitale, répondit Joanna en riant. Il faut que tout le monde puisse se loger !

— Alors, ça fait beaucoup de monde, conclut Ivy, songeuse. Dis, papa, on peut mettre combien de personnes dans ta maison ?

— Quand il y a des réceptions, la maison peut accueillir beaucoup de monde, ma chérie. Pour l'instant, il n'y a que nous trois, sans compter Humphries, et Regina, la cuisinière.

— Des réceptions ? répéta Ivy, ébahie. Comme à la télé ? Comme dans les grands bals qu'on voit dans les films ? Il y en a souvent, des réceptions ?

Il eut un sourire. Autrefois, il donnait assez souvent des réceptions, plus ou moins officielles. Cela l'amusait. Aujourd'hui, il avait l'impression d'avoir passé ce stade. Sa nouvelle priorité, c'était Ivy.

Et puis, il songeait aussi à Joanna, qui lui plaisait de plus en plus.

Il remarqua que celle-ci frissonnait dans son manteau d'été.

— Dès demain, nous irons vous acheter des vêtements d'hiver, annonça-t-il.

— Ne vous faites pas de souci pour moi, dit vivement

Joanna. Je ne reste que quinze jours, cela ne vaut pas la peine de…

— Vous n'allez tout de même pas vous geler pendant deux semaines !

Lorsque leurs regards se croisèrent, Hugh eut l'impression que la jeune femme se maintenait encore à distance, comme si elle avait pris la décision de rester dans l'ombre. A l'écart de lui.

— Vous êtes fatiguée, Joanna, dit-il avec bienveillance. Vous avez peu dormi dans l'avion, et vous êtes affectée par le décalage horaire. Venez, nous allons monter à vos chambres, la vôtre et celle d'Ivy. Elles sont contiguës. J'ai demandé depuis l'Australie que tout soit prêt pour vous deux.

— Oh oui, je veux voir ma chambre ! s'écria Ivy, impatiente.

— Espérons que tu vas l'aimer, dit-il avec bonne humeur. Viens, enlevons d'abord ton manteau…

Les chambres se trouvaient au troisième étage. La petite main de sa fille dans la sienne, il monta les escaliers, suivi par Joanna.

— La maison est vraiment très vaste, observa celle-ci.

— On y arrive ! s'exclama-t-il en ouvrant pour Ivy la porte de sa chambre.

La petite fille jeta un coup d'œil et émit une exclamation admirative :

— Oh, comme c'est beau !

Regina avait bien fait les choses, se dit-il, satisfait. Le petit lit destiné à Ivy était de la même couleur que les rideaux, un jaune pâle à la fois lumineux et gai. La tapisserie dans les tons jaune, bleu et rose égayait également la pièce. On avait fait livrer un petit bureau qui était installé devant la fenêtre, avec tous les accessoires dont peut rêver une petite

68

fille : des assortiments de crayons, de feutres de toutes les couleurs, des gommes, des cahiers etc.

— Oh, la belle poupée ! s'exclama soudain Ivy, fascinée.

Une superbe poupée avait été déposée sur un petit siège à sa mesure. Elle semblait attendre sagement sa nouvelle maman.

Ivy se précipita vers Hugh et lui serra passionnément les jambes.

— Oh, merci, merci, papa !

Hugh, tout attendri, avait les larmes aux yeux.

Joanna ramassa Howard-la-licorne que, dans son excitation, l'enfant avait provisoirement abandonné.

— Regarde, Howard, murmura-t-elle en souriant. Tu as une petite sœur.

Ivy saisit sa poupée ainsi qu'Howard et les serra tous les deux dans ses bras.

— C'est moi la maman de ces deux-là ! s'exclama-t-elle avec un rire musical, en tournant sur elle-même.

Hugh se tourna en souriant vers Joanna.

— Votre chambre se trouve juste à côté. Vous avez une porte de communication avec cette chambre-ci. Vous disposez naturellement d'une salle de bains privée, et Ivy a la sienne de ce côté.

Il désignait une porte dans un coin de la chambre.

— Est-ce que cela vous convient ?

— Si cela me convient ? répéta-t-elle en ouvrant de grands yeux. Evidemment ! Vous avez vu la modestie de la maison de mes parents ?

— Venez, je vais vous montrer votre chambre, reprit Hugh.

Ce qui la toucha d'abord, dans la belle pièce claire, ce fut le magnifique bouquet de fleurs qui se déployait dans un vase de cristal.

Elle se pencha pour humer le parfum des roses, puis s'approcha du grand lit et caressa machinalement la soie du couvre-lit. En soulevant celui-ci, elle remarqua les draps de lin, remarquablement brodés à la main.

— Je vais me sentir comme une princesse, dans un tel cadre, commenta-t-elle avec un soupir.

On frappa discrètement à la porte. C'était Humphries qui apportait les bagages.

— Où dois-je les déposer ? questionna-t-il d'un ton respectueux.

— Posez-les là, Humphries, répondit Hugh. Merci.

Lorsque Humphries se fut retiré en laissant les valises au milieu de la pièce, Joanna considéra pensivement ses modestes bagages.

— Mes affaires font pauvre mine dans une pièce aussi somptueuse, murmura-t-elle.

Hugh eut un sourire compréhensif.

— Vous pouvez toujours les ranger dans un placard, si vous le souhaitez.

— Oui, évidemment, grommela-t-elle avec un ton maussade qui la surprit elle-même.

— Que se passe-t-il, Joanna ? Il y a quelque chose qui ne va pas ?

Elle leva les yeux vers Hugh, qui la considérait d'un air inquiet.

— Voyez-vous, Hugh, répondit-elle avec humeur, je ne comprends pas comment vous avez pu vous adapter au très modeste mode de vie de Bindi Creek.

— La différence n'était pas monstrueuse, Joanna ! Vous

aussi, vous vous adapterez très bien à votre nouvel environnement ici, vous verrez.

Elle eut un sourire sceptique.

— On verra, dit-elle à mi-voix.

Hugh eut un mouvement vers elle, comme pour la réconforter, mais au lieu de cela il enfonça ses mains dans ses poches d'un air perplexe.

Joanna ne se sentait pas très à l'aise.

— Il faudra que nous ayons une petite explication, Hugh, reprit-elle mezzo voce. Que nous mettions les choses au point.

Il haussa un sourcil étonné.

— Maintenant ?

— Non, plus tard, admit-elle. Nous sommes tous fatigués par le voyage.

— Bien, c'est comme vous voulez. Je vous laisse vous installer. Je vais dans ma chambre. C'est celle qui se trouve tout au bout du couloir. Vous pouvez y jeter un coup d'œil, si vous le souhaitez…

— Oh, non !

Elle avait protesté trop vite, et elle comprit au léger sourire d'Hugh que cette rapidité excessive était quelque peu ridicule.

Les joues rouges de confusion, elle se mordilla un peu la lèvre.

C'est à ce moment qu'on entendit un cri déchirant venant de la chambre d'Ivy.

— Joanna, Joanna ! lançait la petite fille d'un ton désespéré.

— Je suis là, ma chérie, répondit aussitôt Joanna en se précipitant.

Ivy avait abandonné ses jouets et s'était assise à même

71

le sol, en plein milieu de sa chambre. Lorsqu'elle vit entrer Joanna et son père, elle redoubla de sanglots.

— Mais que se passe-t-il ? interrogea Joanna en s'accroupissant près d'Ivy.

Elle serra tendrement l'enfant contre elle et la berça un moment.

— Que se passe-t-il, ma chérie ? répéta-t-elle tendrement, tandis qu'elle continuait à la bercer.

— Je… Je ne sais pas. J'ai eu peur…

— Peur de quoi, mon ange ?

Comme la petite ne répondait pas, elle la serra davantage contre elle. D'une main rassurante, elle lui caressa les cheveux.

Hugh assistait à la scène, très remué, ne sachant visiblement que faire pour consoler son enfant.

— Et si j'allais nous préparer un bon chocolat ? proposat-il, indécis.

— Ça, c'est une bonne idée, répondit Joanna. N'est-ce pas, mon trésor ?

Comme Ivy secouait la tête pour dire que oui, Hugh se précipita dans la cuisine.

Il revint peu de temps après avec un plateau garni de trois grandes tasses de chocolat chaud qu'il posa sur le petit bureau.

— Ce n'est pas trop chaud ? questionna Joanna.

— Je ne pense pas, dit Hugh. Vérifiez.

Elle posa un court instant une des tasses contre sa joue afin de tester la température, puis but une petite gorgée.

— C'est parfait, déclara-t-elle.

Avec un sourire encourageant, elle porta la tasse aux lèvres d'Ivy, qu'elle avait déshabillée et installée dans son lit.

— Bois, mon cœur. C'est très bon, tu vas voir. C'est ton papa qui l'a préparé.

Ivy but un peu de chocolat et leva ses yeux encore mouillés de larmes vers son père.

— C'est délicieux, papa, assura-t-elle d'une petite voix encore éraillée par les pleurs.

A peine avait-elle bu la moitié de sa tasse que ses paupières se mirent à papillonner et qu'elle reposa la tête sur l'oreiller. Un instant plus tard, elle semblait dormir.

— Je vais y aller, chuchota Hugh en marchant sur la pointe des pieds vers la porte.

— Ne t'en va pas, s'il te plaît, gémit Ivy d'une voix molle.

Joanna murmura d'un ton rassurant à l'oreille de la petite fille :

— Ne t'inquiète pas, ma chérie, ton papa va rester jusqu'à ce que tu dormes.

Les yeux d'Ivy se fermèrent de nouveau.

— Je suis là, mon petit ange, chuchota Hugh en contemplant son enfant avec tendresse et fierté. Je reste près de toi.

Joanna sentit une boule se former dans sa gorge, tant son émotion était forte.

Ils restèrent ainsi un long moment à siroter leur chocolat en silence, tandis qu'Ivy s'enfonçait dans le sommeil.

— Quelle merveilleuse enfant, chuchota Joanna après avoir constaté que la petite dormait désormais profondément.

— Ce n'est pas moi qui vais vous contredire, murmura Hugh en souriant.

La respiration d'Ivy était devenue profonde, régulière.

— Elle dort comme un petit ange, commenta Joanna d'un ton attendri.

Ni l'un ni l'autre n'avaient osé le moindre mouvement pour se rapprocher. Mais chacun d'eux était conscient d'une manière aiguë, troublante, de la proximité de l'autre...

— La maman d'Ivy devait être une très jolie femme, hasarda-t-elle au bout de quelques instants.

Hugh tourna la tête, surpris par la remarque.

— Linley ? Hum, oui. C'est vrai. Elle était ravissante. Mais...

Il suspendit sa phrase, songeur.

— Mais elle était comme un papillon, reprit-il d'un ton rêveur. Insaisissable comme un papillon. En fait, je n'ai jamais pu établir un rapport sérieux avec elle. Ivy possède un esprit tout différent de celui de sa mère. Elle est bien plus réfléchie, bien moins futile.

Il considéra Joanna.

— Après un voyage pareil, vous devez être épuisée ? hasarda-t-il d'une voix douce.

— Un peu, oui.

Une mèche de cheveux était tombée sur sa joue, qu'elle redressa machinalement.

Hugh suivit son geste, et elle rougit de sentir son regard s'attarder sur elle.

Hugh ne pouvait détacher son regard de ces joues délicates dont la peau ressemblait à celle d'une pêche.

— Je vous remercie encore d'être venue avec nous, murmura-t-il, sincère.

— C'est moi qui devrais vous remercier. Je n'ai jamais vécu dans un tel luxe, vous savez !

— Sachez que vous êtes ici chez vous.

Comme Joanna le considérait avec des yeux étonnés, il s'approcha doucement d'elle et déposa un baiser léger sur ses lèvres.

D'abord stupéfaite, elle émit un cri très discret, comme un gémissement exprimant la surprise et le plaisir, puis elle

74

entrouvrit sa bouche pour s'offrir au baiser qui s'intensifia de manière passionnée.

— Bienvenue en Grande-Bretagne, Joanna, murmura-t-il d'un ton vibrant, ses lèvres pressées contre les siennes.

— Je suis heureuse d'être ici, répondit celle-ci dans un souffle.

Emporté par son ardeur, il prit une nouvelle fois possession de cette bouche si jolie qui s'offrait, et ses mains commencèrent à caresser le corps de Joanna, d'abord de manière discrète, comme un survol, puis de manière bien plus passionnée.

— Ne restons pas là, dit-il d'une voix étouffée. Il ne faut pas réveiller Ivy.

En un instant ils furent à l'extérieur de la chambre, dans le couloir, et ils se jetèrent dans les bras l'un de l'autre avec une folle frénésie. Leurs lèvres et leurs langues se mirent à partager des secrets qu'ils n'avaient jamais osé exprimer.

Hugh était enivré. Cette jeune femme qui s'était jusqu'alors montrée relativement réservée se révélait merveilleusement désirable, bien plus sensuelle qu'il ne l'eût imaginé.

Ses mains s'enhardirent et explorèrent les zones les plus secrètes de Joanna, qui continuait à émettre des gémissements de volupté. Et son ardeur, à lui, était devenue si intense qu'il avait l'impression d'être ivre. Ivre de désir.

Mais soudain, de manière presque brutale, Joanna s'arracha à cette folle étreinte.

— Non ! Non... C'est de la folie. Ce voyage a dû me faire perdre l'esprit !

Elle avait posé à plat ses deux mains sur ses joues brûlantes, comme pour calmer le feu qui brûlait en elle.

Hugh brûlait, lui aussi. Il brûlait d'envie de la saisir dans ses bras et de l'emporter jusqu'à sa chambre, jusqu'à son lit. Mais lorsqu'il aperçut le regard indigné de Joanna, il comprit qu'il ne devait pas se faire d'illusions. Ce regard indiquait nettement le sentiment qu'ils avaient commis une grosse bêtise.

Ce baiser avait-il effectivement été une erreur ? Etait-ce la réalité ?

Après une seconde de réflexion, il se dit que de toute manière il n'eût pas été raisonnable de mettre Joanna dans son lit dès le premier jour.

— Je vais faire comme Ivy, murmura-t-elle d'une voix sans relief. Je vais dormir.

Hugh réprima un soupir et proposa d'une voix courtoise :

— Je vais demander à Regina de vous préparer un dîner léger qu'elle vous apportera dans votre chambre, voulez-vous ?

— Merci. Le chocolat que nous avons pris me suffit pour ce soir.

Puis elle tourna les talons sans un regard vers lui et marcha vers sa chambre.

Le lendemain matin, comme Hugh était en train de prendre son petit déjeuner dans la salle à manger, il leva les yeux en entendant Joanna et Ivy arriver dans la pièce.

Elles avaient l'air reposé. Les yeux d'Ivy brillaient de plaisir, et Joanna était remarquablement jolie, dans des vêtements qui s'harmonisaient parfaitement à ses yeux marron et à son teint frais.

Elle rappelait une rose sauvage bercée par le vent, songea-t-il en la contemplant. Lui en voulait-elle encore pour ce baiser volé ?

— Ah, on dirait que vous êtes un adepte des traditionnels petits déjeuners anglais, commenta Joanna sur un ton enjoué.

Il sourit, rassuré. Joanna semblait avoir oublié l'incident de la veille.

— Si vous le souhaitez, vous pouvez avoir un « vrai » petit déjeuner, proposa-t-il gaiement. Avec des œufs, des saucisses, tout ce que vous voulez…

— Moi, je veux du jus d'orange, déclara Ivy d'une petite voix.

La demande avait été faite sur un ton si charmant, si spontané, qu'il partit d'un rire attendri.

— Tu as oublié d'ajouter « s'il te plaît, papa », mentionna gentiment Joanna.

— S'il te plaît, papa.

— Bien sûr, ma chérie. Tu vas avoir ton jus d'orange et tout ce que tu voudras.

La petite fille s'étant installée près de lui, la jeune femme s'assit un peu à l'écart.

— Moi, je me contenterai d'une tasse de thé, dit-elle tandis qu'il saisissait la carafe de jus d'orange et remplissait un grand verre pour Ivy.

— Quelle superbe porcelaine de Chine ! s'exclama-t-elle avec animation, lorsqu'il lui tendit une tasse de thé. Vous avez vraiment de très jolies choses chez vous !

Elle tomba ensuite en admiration devant la théière en argent, et il nota dans son esprit le goût de la jeune Australienne pour ce genre de choses. Ce détail pourrait lui servir…

— Vous êtes sûre de ne pas vouloir quelque chose de chaud ? reprit-il avec affabilité. Des œufs à la coque, ou sur le plat ? Ou alors…

Il s'interrompit soudain.

On venait de pousser brusquement la porte, et la dernière personne au monde qu'il désirait voir apparut.

Priscilla. Ah, non ! Pas elle !

— Mon chéri, tu es de retour, quel bonheur ! Tu m'as tellement manqué !

Engoncée dans son manteau de renard argenté, la grande blonde traversa la pièce comme une flèche et vint aussitôt plaquer sa bouche sur la sienne.

D'abord, il demeura sans voix. Il se dégagea de l'étreinte de Priscilla qui s'était aspergée d'un parfum tenace, recula le plus loin possible dans sa chaise et marmonna enfin d'un ton mécontent :

— Qu'est-ce que tu fais ici ?

La blonde vaporeuse le dévisagea de manière stupéfaite.

— Mais je viens pour te voir, chéri ! Quelle question ! Tu m'as tellement manqué ! répéta-t-elle bruyamment en levant vers le ciel des yeux hystériques. Ah, mon chéri, mon chéri !

Il jeta un coup d'œil inquiet en direction de Joanna et d'Ivy, qui semblaient s'être tassées sur elles-mêmes.

— Ah, ça doit être ta fille, j'imagine ? glapit Priscilla de sa voix acide. Tu as fini par la retrouver, en définitive ! Tu dois être content !

Priscilla, manifestement, ignorait royalement la jeune femme qui se trouvait à table en face de sa fille.

A la fois stupéfait et furieux, Hugh fixa avec horreur cette femme qui avait été sa maîtresse. Comment avait-il pu fréquenter un personnage aussi odieux, même pendant un temps limité ?

Avant qu'il n'entreprenne son voyage en Australie pour chercher Ivy, Priscilla lui avait fait un chantage infâme. Elle lui avait ordonné, ni plus ni moins, de choisir entre Ivy et elle. « Si tu choisis ta fille, nous ne nous reverrons plus, avait-elle déclaré, sûre d'elle-même. » Il avait protesté avec indignation : « Elle est ma fille. Il n'est pas question que je l'abandonne, maintenant que je sais que je suis son père. » La relation avec Priscilla était d'ailleurs devenue de plus en plus pénible, de plus en plus négative depuis un certain temps, bien avant qu'il ne décide de partir pour l'Australie. Ce chantage qu'elle lui avait fait constituait la goutte d'eau qui fait déborder le vase. « Si tu ramènes cette enfant, de quoi aurai-je l'air ? Je serai ridiculisée ! Tiens-le toi pour dit : c'est elle ou moi. » Il était parti en claquant la porte et avait décidé de ne plus jamais revoir cette peste.

Et voici que cette folle revenait à la charge ! Elle se permettait de faire intrusion dans sa vie privée, comme si elle avait oublié sa menace et son chantage !

Comme il serrait les dents, exaspéré par cette blondasse qui empestait un parfum qu'il n'avait jamais supporté, Priscilla se pencha vers Ivy avec un sourire carnassier.

— Oh, la jolie petite fille ! Comment t'appelles-tu, mon poussin ?

Ivy tourna un instant les yeux vers la créature, puis les détourna sans répondre. D'instinct, elle avait deviné le personnage. Le sourire de Priscilla sembla subitement dégringoler. Ses lèvres s'effondrèrent pour faire place à une expression haineuse.

— Bah, nous aurons bien le temps de faire connaissance, toi et moi, conclut la visiteuse avec froideur.

Elle avait proféré ces mots comme elle l'aurait fait d'une menace, et Ivy, toujours sur sa réserve, lui adressa un regard glacial.

— Ah, ces enfants ! soupira Priscilla du ton de celle qui a compris que, de toutes les façons, on ne peut rien attendre de ce petit monde.

Une irrésistible envie envahit Hugh : saisir cette insupportable femme par le col de son manteau de fourrure et la reconduire jusque dans la rue. Mais il était homme d'éducation, il ne pouvait se permettre un acte pareil, même avec un être aussi odieux que Priscilla.

Il se contenta donc d'appuyer sur la sonnette pour appeler Regina.

Celle-ci arriva aussitôt.

— Regina, dit-il d'un ton calme et maîtrisé, voulez-vous avoir la gentillesse d'emmener Ivy dans la cuisine pour qu'elle prenne son petit déjeuner.

— Viens mon petit canard, dit Regina en aidant Ivy à descendre de sa chaise. Tu vas voir : j'ai plein de bonnes choses à manger. Après un voyage comme celui que tu as fait, tu dois avoir faim !

Ivy sembla tout heureuse de partir avec Regina.

— Je vous accompagne, dit Joanna.

— Non ! ordonna Hugh d'un ton sec.

Puis, avec un ton bien plus courtois, comme s'il regrettait la vivacité de son ordre, il expliqua posément :

— S'il vous plaît, Joanna. J'aimerais que vous restiez.

Il souhaitait que la jeune Australienne constate d'elle-même que sa relation avec cette femme était maintenant terminée.

Mais Priscilla ne l'entendait pas de cette oreille.

— Nous avons à parler toi et moi, Hugh, minauda-t-elle avec une voix plaintive. J'aimerais bien qu'on nous laisse seuls.

Le « on », bien sûr, désignait Joanna.

Comme s'il n'avait pas entendu — ou voulu entendre — la requête de son ancienne amie, Hugh lança sur un ton de défi, d'une voix légère :

— Priscilla, je te présente Joanna.

— Joanna ? répéta l'Anglaise avec une tonalité ironique et méprisante.

— Joanna Berry, précisa-t-il en appuyant délibérément sur chaque syllabe. Elle vient d'Australie et a la gentillesse de...

— Quelle bonne idée de faire venir une domestique australienne, elle va pouvoir s'occuper de ta fille tandis que...

— Ce n'est pas une domestique, rétorqua-t-il immédiatement de manière glaciale.

Joanna, les yeux baissés, fixait machinalement un coin de serviette qu'elle tordait entre ses doigts nerveux. Priscilla jeta un regard hostile vers l'Australienne et siffla entre ses dents :

— Hugh, je souhaiterais vraiment que nous puissions être seuls un moment.

— Seuls ? Et pourquoi donc ?

— Ta petite fiancée aimerait te parler de choses importantes, insista Priscilla avec un sourire qui ressemblait davantage à une grimace.

— Ma *quoi* ? s'écria-t-il, abasourdi.

— Ta fiancée, mon chéri.

Priscilla affichait un sourire béat et optimiste comme pour souligner ce qu'elle venait de déclarer. Puis elle brandit sa main gauche pour en faire la démonstration.

— Regarde !

L'annulaire de la jeune femme était orné d'une énorme bague très tape-à-l'œil, un gros saphir entouré de diamants.

Stupéfait, Hugh fixait son ancienne amie avec des yeux ronds.

— Bon sang, c'est quoi, ce petit jeu, Priscilla ? Qu'est-ce que c'est que cette comédie ?

La main gauche toujours levée pour bien faire voir la bague, Priscilla répondit d'un air ingénu :

— Ce n'est pas une comédie, chéri, c'est une bague de fiançailles.

— Tu te considères comme fiancée ? Tu *nous* considères comme fiancés ? C'est une plaisanterie du plus mauvais goût !

— Je l'ai achetée chez Sotheby's, à une vente aux enchères. Elle est belle, n'est-ce pas ? C'est exactement la bague dont nous rêvions !

— Tu ne sais plus ce que tu dis ! gronda-t-il, furibond. Il n'a jamais été question de fiançailles, ni de bague de fiançailles.

Joanna s'était levée discrètement et s'apprêtait à s'éclipser, mais il la retint fortement par le bras.

— Restez, s'il vous plaît, commanda-t-il.

Puis il se tourna vers Priscilla qui jouait nerveusement avec sa bague.

— Qu'est-ce que c'est que cette histoire de fiançailles ? Qu'est-ce que c'est que cette invention ? questionna-t-il avec dureté. Où veux-tu en venir ?

Priscilla paraissait désemparée. Son visage exprimait maintenant le désarroi. Et c'est d'un ton misérable qu'elle tenta une explication.

— Je n'aurais jamais dû te dire « c'est ta fille ou moi ». Je ne sais pas ce qui m'a pris... J'étais sous le choc. Tu venais de m'annoncer que tu avais une fille... J'ai perdu les pédales.

Hugh considérait son ancienne amie d'un regard sans pitié.

— Je suis désolé, Priscilla, mais il est trop tard pour revenir en arrière. Tu m'as donné un ultimatum : choisir entre ma fille et toi. J'ai choisi.

— Mais je ne savais pas ce que je disais, plaida l'Anglaise

d'un ton désespéré. Il est normal que tu veuilles garder ta fille auprès de toi... Cela ne me gêne pas.

— Trop tard, Priscilla. Notre relation n'a plus lieu d'être. C'est fini.

— Non, non ! Ce n'est pas fini !

— Inutile d'insister, Priscilla.

Le visage ravagé, la jeune femme se tordait les mains.

— Mais j'ai tout prévu, insista-t-elle d'une petite voix d'enfant gâtée. Le mariage, l'église, les invitations...

— Oublie tout ça. Annule tout.

— Mais, mon chéri...

— Il n'y a pas de « mais ». J'aimerais que tu te mettes dans la tête que notre relation est terminée, une fois pour toutes.

Un lourd silence se fit dans la salle à manger.

Au bout d'un moment, Priscilla jeta un regard en biais en direction de Joanna, un regard chargé d'amertume et de haine.

— C'est à cause d'elle, marmonna-t-elle, humiliée. C'est elle qui t'a mis le grappin dessus, n'est-ce pas ?

— Assez ! s'écria-t-il, hors de lui. Mêle-toi de ce qui te regarde.

Il tombait de haut, découvrant subitement un personnage tout autre que la femme qu'il avait connue. Cette Priscilla révélait sa vraie nature, qui était diabolique. Quelle différence avec Joanna, charmante, droite, fière, auprès de qui la vie était simple, facile, heureuse...

Poussé par un élan d'affection, il passa son bras autour des épaules de Joanna.

Priscilla eut un mouvement de recul, les yeux agrandis par l'horreur, comme si elle venait de voir une abomination ou le diable en personne. Mais elle se reprit vite et grommela sèchement :

— Ah, elle a bien su t'embobiner !

Hugh sentit que son bras se crispait. Une brusque envie le saisissait de gifler cette peste. Mais il se maîtrisa, comme il le faisait toujours dans ce genre de situation.

— Je te prie de te taire, gronda-t-il, les mâchoires serrées par la colère.

Mais Priscilla était lancée. Rien ne pouvait empêcher sa rage. Elle tourna une nouvelle fois vers Joanna un visage déformé par la jalousie.

— Ne vous faites pas d'illusions, mademoiselle. Ce n'est pas parce qu'il couche avec vous qu'il vous épousera.

Fouetté une nouvelle fois, Hugh pâlit de colère et rétorqua sur un ton décisif :

— Eh bien, tu te trompes ! Tu es à côté de la plaque, ma pauvre Priscilla.

Joanna frémit. Priscilla, quant à elle, était devenue livide.

— Tu ne vas pas épouser cette femme ? dit-elle d'une voix blanche. Ce serait de la folie. Ton père te déshériterait à coup sûr !

— Pas du tout. Mon père est absolument enchanté par ce mariage !

— En voilà assez ! fit Joanna à son côté.

Comme elle tournait les talons, furieuse, Hugh tenta de la retenir une nouvelle fois par le bras.

— Attendez, Joanna…

Elle se dégagea d'un geste vif.

— J'en ai par-dessus la tête de votre règlement de comptes ! assena-t-elle. J'ai des choses à faire. Et pour commencer, je vais aller m'occuper d'Ivy. Elle a besoin de moi.

Et sur ce, elle quitta la pièce aussi vite que possible.

Avec un sourire à la fois cruel et ravi, Priscilla suivit le départ de Joanna.

84

— Elle est bien fragile, ta petite amie. Elle réagit au quart de tour ! Bah, elle ne va pas faire l'affaire, ça se voit bien. Elle ne fera pas le poids ! Pas plus comme nounou que comme fiancée…

Hugh se leva brusquement.

— Et maintenant, tu vas t'en aller, ordonna-t-il d'un ton coupant, sans réplique.

Cela faisait vingt minutes qu'elle aurait dû s'en aller, il ne tolérerait pas sa présence une minute de plus.

Mais Priscilla tenta une dernière fois de plaider sa cause. C'est avec un sourire grimaçant, artificiel, qu'elle reprit, toute langoureuse :

— Je suis venue spécialement pour te voir, mon chéri. Je tenais à te dire que…

— Dehors ! Je ne veux plus t'entendre.

— Mais…

— Allez, dehors, à présent ! En vitesse ! Je ne veux plus te voir !

Le ton de sa voix était si menaçant que Priscilla tourna enfin les talons et s'enfuit sans demander son reste.

Ses talons résonnèrent sur le marbre du hall, puis la porte d'entrée claqua.

Il poussa un long soupir et se passa la main sur le visage, à la fois soulagé et inquiet.

Soulagé de la disparition de cette femme insupportable, et inquiet de la réaction de Joanna. Il avait avancé cette idée de mariage un peu malgré lui. Il n'avait pas trouvé d'autre argument pour dissuader Priscilla une fois pour toutes.

A peine deux minutes après le départ de cette dernière, Joanna fit irruption dans la salle à manger. Son visage était tendu, elle fronçait les sourcils d'un air furieux.

— Cela se passe bien, avec Ivy ? questionna-t-il sans attendre.

— Très bien. Mais je souhaite mettre quelque chose au point avec vous.

Il la regarda avec embarras, devinant où elle voulait en venir.

— Qu'est-ce que c'est que cette histoire de mariage ? reprit-elle d'un ton hostile. Pourquoi avoir inventé cette fable stupide ?

Il se gratta machinalement l'oreille.

— C'était le meilleur moyen d'en finir avec elle, grommela-t-il.

Elle croisa les bras, visiblement pas convaincue par son explication.

— Etait-il vraiment nécessaire de m'impliquer dans votre querelle de ménage ? Fallait-il vraiment inventer cette absurde perspective de mariage ? Et pourquoi l'avez-vous laissée croire que nous couchions ensemble ? C'est insensé, tout ça. Insensé !

Hugh poussa un soupir de désolation.

— Je suis confus. J'ai essayé de vous défendre, et de me défendre par la même occasion.

— Mais vous n'aviez pas le droit de la laisser partir d'ici avec la conviction que nous dormons dans le même lit, attaqua Joanna. C'était tout à fait abusif de votre part. Tout à fait déloyal. On ne laisse pas dire des choses pareilles !

Pour bien appuyer sa réprobation et son mécontentement, elle tapa sèchement du talon sur le sol.

— C'est inadmissible ! lança-t-elle encore, révoltée. Inadmissible !

Très ennuyé, Hugh se grattait nerveusement la nuque tout en essayant de trouver une solution. Comment allait-il réussir à calmer Joanna ?

— Je ne veux pas que le doute soit possible, reprit-elle d'un ton déterminé. Il faut que vous expliquiez le plus tôt possible à votre ancienne amie qu'il n'a jamais été question de mariage entre nous. Sommes-nous bien d'accord ?

Comme il allait répondre, on entendit la sonnerie du téléphone dans la pièce voisine.

— Je vais répondre, dit aussitôt Joanna. C'est ma mère. Je lui ai demandé de m'appeler à cette heure de la matinée à cause du décalage horaire.

Elle courut répondre et fut de retour moins d'une minute plus tard. Elle avait la mine sombre.

— C'est votre père, expliqua-t-elle, tendue. Il a été très courtois et m'a félicitée pour notre mariage.

Diable ! pensa Hugh. C'était la catastrophe. Priscilla s'était évidemment précipitée sur son portable, sitôt dehors, pour annoncer la nouvelle à son père… Ah, quelle créature démoniaque !

— Je compte sur vous pour rétablir la vérité, gronda Joanna d'un ton sévère. Il n'est absolument pas question que je joue une stupide comédie afin de tenir à distance votre ancienne amie.

— D'accord. Je vais remettre les pendules à l'heure.

Pourtant, comme il marchait vers le téléphone, il songea que finalement ce mariage avec Joanna n'était pas une idée si mauvaise que ça.

C'était même une très, très bonne idée…

5.

Plantée devant la fenêtre, Joanna fusillait du regard l'imposante façade qui se trouvait de l'autre côté de la rue.

Ah, comme elle regrettait d'être venue à Londres ! Comme elle se repentait d'avoir écouté sa mère, qui avait tellement insisté pour qu'elle fasse ce voyage !

Elle se sentait affreusement mal. Ce n'était pas seulement l'important et douloureux décalage horaire entre l'Australie et l'Angleterre, pas seulement la fatigue d'un très long voyage. C'était quelque chose de pire : le sentiment de répugnance, l'écœurement qui l'avait saisie après la venue de cette odieuse Priscilla.

Quelle abominable femme ! Certes, elle avait de l'allure, du piquant, du clinquant, une certaine beauté plastique, mais quelle vilaine nature !

Elle comprenait que ce genre de femme puisse séduire de nombreux hommes, mais comment Hugh avait-il pu céder, *lui* ? Comment avait-il pu fréquenter, aimer peut-être, une créature aussi néfaste ?

A vrai dire, elle savait peu de choses sur lui. Hugh Strickland possédait beaucoup d'argent, c'était manifeste, cette luxueuse maison dans l'un des quartiers les plus chic de Londres en témoignait. Il dirigeait probablement une compagnie aérienne, mais elle n'en savait pas plus sur lui.

Ce qui la perturbait le plus, c'était la manière dont il avait pu, comme ça, de manière frivole, évoquer un éventuel mariage entre elle et lui ! C'était se moquer de ses sentiments à elle. On ne joue pas avec les sentiments des autres !

Perdue dans ses réflexions, elle regardait toujours d'un œil absent par la fenêtre.

— C'est le vieil hôpital royal, murmura la voix d'Hugh derrière elle.

Elle sursauta.

— Je ne vous ai pas entendu venir, dit-elle, déroutée. Vous êtes resté longtemps au téléphone.

— C'est Charles II qui l'a fait construire, et c'est Christopher Warren qui en a été l'architecte.

Elle se moquait éperdument de le savoir. Pourquoi Hugh évoquait-il ce genre de détails alors qu'un sujet bien plus préoccupant la tracassait ? Essayait-il de se dérober ? Il fallait qu'elle en ait le cœur net.

— Avez-vous dit à votre père que cette histoire de mariage n'était qu'une galéjade ?

Il hocha la tête en signe d'acquiescement, l'air à la fois honteux et mal à l'aise.

— Bien, dit-elle, soulagée. Voilà une bonne chose de faite.

— En effet. Malheureusement, je n'ai pas pu dissuader mon père de venir avec ma mère dans les prochains jours. Ils habitent le Devon.

— Sans doute désirent-ils faire la connaissance d'Ivy ?

— Probablement... Bon, avec tous ces imprévus, je n'ai même pas eu le temps de prendre mon petit déjeuner. Je vais demander à Regina de me préparer du pain grillé et du thé. En prendrez-vous avec moi ?

— Avec plaisir.

Hugh changeait bien brusquement de sujet, s'étonna-t-elle. Voulait-il éviter de parler de ses parents ? Il s'en alla vers la cuisine et revint peu de temps après, le sourire aux lèvres.

— Un nouveau petit déjeuner est en préparation. J'espère que cette fois-ci, nous ne subirons pas d'intrusion intempestive !

Toujours mal à l'aise, Joanna s'éclaircit la gorge.

— Hugh, avant que Regina et Ivy ne reviennent, dit-elle à mi-voix, j'aimerais mettre au point une chose ou deux.

Hugh serra les mâchoires, fronça un instant les sourcils, puis afficha un sourire affable.

— Je vous écoute, Joanna.

— Je souhaiterais savoir avec exactitude comment vous envisagez mon rôle ici, chez vous ? De quelle manière voyez-vous mon travail ?

— Il ne s'agit pas de travail, Joanna. Vous êtes mon invitée.

— Mais si, il s'agit d'un travail, puisque vous m'avez proposé de l'argent — beaucoup d'argent, même !

Hugh ne paraissait pas avoir de réponse. Ils demeurèrent quelques instants silencieux.

Elle reprit d'une voix préoccupée :

— Si vous acceptiez au moins de répondre à quelques questions, j'en serais soulagée.

— Que souhaiteriez-vous savoir, par exemple ?

— Par exemple, de quelle université sortez-vous ?

Il eut l'air très surpris.

— Pourquoi me demandez-vous cela ?

— J'aimerais le savoir. S'il vous plaît, Hugh.

— Eh bien, je sors d'Eton. Comme vous le savez, c'est l'une des plus fameuses universités d'Angleterre.

Joanna hocha la tête. Elle savait également que cette grande école accueillait la fine fleur de l'aristocratie anglaise.

— J'ai remarqué cette chevalière à votre petit doigt. Elle porte des armoiries que j'ai vues également sur votre argenterie. C'est quoi, ce R qui décore les serviettes et les couverts ?

— Vous êtes très observatrice. J'ai l'impression de subir l'nterrogatoire d'un détective ! Le R que vous évoquez marque le nom de Rychester, Joanna. Mon père, Felix Strickland, est comte de Rychester.

Dieux du ciel ! Hugh était un aristocrate !

Joanna, le rose aux joues, se rappela brusquement ce repas de Noël auquel il avait assisté dans la modeste maison de ses parents. Quel décalage entre la simplicité presque triviale de sa famille et ce lignage évoqué par son hôte !

— Vous n'êtes pas de la famille de la reine, tout de même ?

Hugh eut un rire amusé.

— Oh, non. Heureusement !

— Possédez-vous un titre honorifique, en tant que fils de comte ?

— Dans les milieux officiels, on fait précéder mon nom de l'appellation « lord », mais cela me laisse tout à fait indifférent.

Doux Jésus ! De quelle manière lord Hugh avait-il perçu sa famille ? Et comment une fille aussi banale qu'elle avait pu être choisie par un lord pour l'accompagner jusqu'à Londres ?

— Vous auriez pu me prévenir, Hugh, marmonna-t-elle, atterrée.

— Mais je n'en ai jamais fait un secret ! Protesta celui-ci. Je n'ai pas eu l'occasion de vous parler de ma famille, tout simplement. Et le titre que je porte est uniquement formel. Je suis un homme comme tout le monde.

Joanna prit une longue inspiration et croisa une nouvelle fois les bras sur sa poitrine.

— J'imagine, dit-elle en pointant le menton, que votre père a été soulagé d'apprendre qu'en définitive vous n'alliez pas épouser la petite Australienne que vous avez ramenée dans vos bagages ?

Hugh secoua la tête avec une exaspération contenue.

— Si cela peut vous rassurer, sachez que mon père n'a apprécié *aucune* des différentes jeunes femmes que je lui ai présentées. Il avait en particulier une aversion viscérale à l'égard de Priscilla.

D'un coup, le père d'Hugh parut tout à fait sympathique à Joanna.

— A propos de Priscilla, reprit-elle d'un ton faussement dégagé. A-t-elle du sang bleu, elle aussi ? Fait-elle partie de la vieille noblesse anglaise ?

— Son père est baronnet, c'est-à-dire le premier échelon dans la noblesse traditionnelle.

Enfer et damnation ! Elle ne s'attendait pas à de telles lettres de noblesse chez une femme qui s'était conduite de manière si vulgaire. Elle l'aurait plutôt imaginée d'extraction frelatée. D'une famille de truands par exemple, ou de malfaiteurs bancaires, ou de quelconques nouveaux riches ayant réussi dans l'industrie du cinéma pornographique... Mais Priscilla était une aristocrate. Probablement comme tous les amis et fréquentations d'Hugh.

Une déception rageuse lui fit monter aux yeux des larmes brûlantes.

— Oh... J'aurais dû rester à ma modeste place en Australie, grommela-t-elle, dépitée. Je ne suis pas dans mon monde, ici.

— Ne vous faites pas tant de bile, Joanna. Ne soyez pas fâchée !

— J'ai tout lieu d'être fâchée ! En ce moment, votre ancienne petite amie doit être en train de raconter à tout-va que la brave nounou venue d'Australie s'est amourachée du richissime Hugh Strickland — évidemment, pour son argent et son rang social !

— Je ne pense pas que Priscilla veuille perdre son temps à de pareils commérages.

Joanna haussa rageusement les épaules.

Ce n'était pas son avis. Elle savait à quel point une femme blessée dans son amour-propre — ou dans son amour tout court — peut être capable de rancune et d'hostilité, et elle se sentait comme prise au piège. Jamais elle n'aurait pu imaginer avant de partir que les choses puissent tourner aussi mal. Son cœur battait la chamade. Elle était horriblement remuée.

Elle ferma les yeux pour tenter de se calmer, fit une série de respirations forcées.

Apparemment, Hugh avait constaté son état.

— Je suis désolé d'être la cause de tous vos tourments, murmura-t-il avec un mélange de compassion et de culpabilité.

Lorsqu'il toucha sa joue dans un geste plein de douceur, elle ouvrit les yeux.

— Je ne supporte pas de vous voir aussi triste, Joanna. Vous êtes blessée, cela me navre. J'aimerais tellement que votre séjour se passe de manière heureuse !

— Ne vous inquiétez pas pour moi, répondit-elle d'un ton où l'on entendait un optimisme forcé. Ça va très bien.

— Non. Ça ne va pas bien, corrigea-t-il, soucieux.

Elle releva légèrement le menton et fit un effort pour sourire, les yeux mouillés.

— Eh bien, cela ira mieux dans peu de temps.

Hugh se pencha alors et déposa sur son front un baiser très léger, quasi fraternel.

Elle tressaillit, et soudain la main chaude d'Hugh se posa sur sa hanche pour l'attirer vers lui.

Il lui donna un nouveau baiser, sur la joue. Un baiser qui se révélait déjà moins fraternel.

Joanna se figea. Elle savait qu'il ne fallait pas fléchir, la situation était trop dangereuse. C'était le moment de tourner les talons… Mais elle n'avait pas la force de s'enfuir, et une terrible envie d'être dans ses bras s'était emparée d'elle.

D'un côté, la sagesse lui commandait de mettre fin à cette étreinte qui commençait, de l'autre, elle fondait de désir. C'était véritablement un combat cornélien.

Sans doute avait-elle hésité trop longtemps, car déjà les lèvres d'Hugh prenaient possession des siennes, et elle comprit qu'elle ne pourrait pas résister. Les genoux en coton, elle se laissa attirer vers lui par ses mains qui la caressaient de manière passionnée.

Plaquée contre son corps solide, elle percevait à travers leurs vêtements le dur désir de l'homme qui la serrait contre lui.

Comme une main d'Hugh s'aventurait sous son corsage pour caresser ses seins tout durcis d'expectative, elle entendit une petite voix toute proche :

— Regardez ce que j'ai trouvé !

Ils se détachèrent brusquement l'un de l'autre, confus et stupéfaits.

Ivy s'approchait avec un chat dans les bras.

— Regardez comme il est mignon. Je l'ai trouvé tout à l'heure. Il n'a pas peur de moi !

Joanna ne sut que répondre. Ivy venait de les découvrir dans une situation bien troublante. Quelle explication donner à la petite fille ?

Hugh, le premier, eut la présence d'esprit de réagir de manière à peu près naturelle.

— Oh, tu as trouvé Marmaduke ! s'exclama-t-il gaiement, le souffle un peu court.

— Il était sous l'escalier.

— C'est le chat d'Humphries, expliqua Hugh. Il faut être très gentille avec lui.

— Et puis tu sais, ce que j'ai découvert, papa ? Ton arbre de Noël. Viens Joanna, je vais te le montrer...

— Attends un peu, mon trésor, dit Joanna, rassurée. Nous attendons le petit déjeuner que Regina doit apporter d'une minute à l'autre.

Visiblement, la petite fille ne semblait nullement perturbée par le baiser qu'elle avait surpris entre elle et Hugh un instant plus tôt. Y avait-elle seulement prêté attention ? On aurait dit que non, à la voir toute joyeuse, ne se souciant que du chat, de l'arbre de Noël et des autres merveilles que lui promettait l'exploration de la maison.

Par contre, elle-même ne se sentait pas peu remuée de cette nouvelle étreinte avec Hugh.

Lorsque celui-ci revint un instant plus tard avec le plateau que leur avait préparé Regina, il la scruta de manière tellement intense qu'elle se leva brusquement de table, troublée.

— Il faut absolument que je téléphone chez moi, autrement ma mère va se faire du mauvais sang. Je reviens dans une minute. Vous permettez, Hugh ?

— Je vous en prie.

Il lui fallait tranquilliser sa mère, jouer le rôle de celle qui est enchantée par son voyage.

Après l'avoir eue au bout du fil et lui avoir assuré qu'elle était heureuse à Londres et que tout se passait le mieux du monde, elle raccrocha, quelque peu rassérénée par ce pieux mensonge.

Dès qu'elle posa le combiné sur son socle, la sonnerie du téléphone la fit sursauter.

Qui était-ce ? Priscilla ? Le père d'Hugh ?

Elle tourna la tête et jeta un coup d'œil dans la salle à manger. Hugh était en train de beurrer une tartine pour Ivy et semblait ne pas se préoccuper de la sonnerie du téléphone.

D'une main hésitante, elle souleva le combiné.

— Allô, dit-elle d'une voix incertaine.

— Ah ! s'exclama gaiement une voix masculine. Je parie que vous êtes Joanna ?

— C'est exact, répondit-elle, étonnée.

Comment cet inconnu savait-il qui elle était ? Etait-ce encore une fois à cause de Priscilla ?

— Je m'appelle Rupert Eliot. Je suis un ami d'Hugh, expliqua l'interlocuteur.

La voix de l'homme était tout à fait plaisante, chaude et bienveillante, un peu à la manière de celle d'Hugh.

— Je vais chercher Hugh, annonça-t-elle aussitôt.

— Non, non. Ne vous dérangez pas. Je suis ravi de vous avoir au bout du fil. Hugh est invité chez nous pour le Nouvel An, vendredi, et j'en profite pour vous dire que nous serons enchantés de faire votre connaissance et celle d'Ivy à cette occasion.

Joanna fronça les sourcils, interloquée. L'ami d'Hugh devait avoir mal compris. Elle n'était qu'une simple aide familiale, une gouvernante destinée à prendre soin d'Ivy. Rien de plus.

— Hugh se trouve dans la pièce voisine. Je vais le chercher, dit-elle.

— Attendez, Joanna. Hugh m'a parlé de vous lorsqu'il était en Australie. Il m'a dit que vous vous occupiez merveilleusement de sa fille, que vous étiez une vraie mère pour elle.

Nous souhaiterions vraiment vous connaître. Quant à Ivy, il y aura d'autres enfants de son âge avec lesquels elle pourra jouer.

— Je… Je vous remercie, balbutia-t-elle, prise de court.

— Nous comptons donc sur vous. A vendredi !

A son retour dans la salle à manger, elle fit part à Hugh de l'invitation dont elle avait fait l'objet avec Ivy.

Hugh fut enchanté.

— Rupert est mon meilleur ami. Nous nous connaissons depuis l'enfance. Je suis le parrain de sa fille, Phoebe, qui a tout juste six mois. Vous allez voir, c'est un type adorable.

— Un aristocrate, je parie ? Un lord, un duc ou quelqu'un dans le genre ?

— Peu importe. Rupert est le garçon le moins snob qui soit, je vous assure.

— En tous les cas, il s'est montré très sympathique au téléphone.

— Lui et Anne, sa femme, forment un couple délicieux. Ils se sont connus dès leurs dix-huit ans, mais à les voir, c'est comme si c'était hier.

Joanna songeait, un peu paniquée, qu'elle devrait être particulièrement élégante pour cette soirée. Qu'allait-elle donc bien pouvoir se mettre pour être à la hauteur ?

La réponse lui fut fournie dans l'après-midi : Hugh les emmena, Ivy et elle, dans de nombreux magasins tous plus beaux et plus luxueux les uns que les autres. Ils sillonnèrent Chelsea et Knightsbridge, à la recherche des plus élégantes tenues que l'on puisse imaginer.

Hugh, naturellement, avait déclaré d'emblée que lui et lui seul réglerait les achats. Quand Joanna voyait les chiffres, elle était prise d'un tournis, mais lui ne se souciait aucunement du prix des choses, aussi élevé fût-il.

Lorsqu'ils rentrèrent à la maison, toutes deux étaient pourvues d'une garde-robe de la plus belle qualité. Joanna était particulièrement enthousiasmée par une superbe robe rouge, extrêmement élégante, qu'ils avaient trouvée à Sloane Street et qui serait idéale pour la soirée du Nouvel An.

Durant tous ces achats dans différents magasins, Ivy, très excitée, courait systématiquement au rayon des jouets lorsqu'il en existait un.

— Oh, papa. Achète-moi cet ours, ah, et puis la poupée, aussi, là...

Comme Hugh s'apprêtait à céder de bon cœur au moindre caprice de sa fille, Joanna murmura discrètement :

— Ne la gâtez pas trop, Hugh.

— Mais elle ne possède pas énormément de jouets : Howard-la-licorne, la poupée, plus deux ou trois bricoles qui étaient dans sa chambre.

— Il n'est pas bon qu'elle en reçoive trop d'un coup, insista-t-elle. Elle n'a pas l'habitude d'un tel luxe. Il s'agit de ne pas la saturer.

Hugh la regarda d'un air pensif.

— Vous avez sans doute raison, dit-il. Les femmes ont toujours raison.

— Oh, regarde le petit cochon, là ! s'exclama Ivy en tirant son père par la main. Je le veux !

Celui-ci lança un bref regard en direction de Joanna, puis répondit en souriant :

— Pour le petit cochon, on verra plus tard. En attendant, nous rentrons à la maison.

Au lieu de faire un caprice comme tant d'autres enfants l'auraient pu, Ivy serra la main de son père.

— Oh oui ! dit-elle joyeusement. On est tellement bien dans ta maison, papa ! Je l'aime beaucoup.

— C'est notre maison, à présent, ma mignonne.

Quand Joanna se fut glissée entre ses draps ce soir-là, elle repensa à tout ce qu'elle avait vécu dans l'après-midi.

Elle avait découvert un nouvel aspect de la personnalité d'Hugh : un homme prodigue, attentif à autrui, souvent plein d'humour, toujours rempli de joie de vivre. Ce qui était particulièrement touchant chez lui, c'était sa sollicitude, sa générosité concernant non seulement Ivy, mais elle aussi, Joanna.

C'était la première fois qu'un homme se montrait aussi attentif à elle, pour les moindres détails. Et, par-dessus le marché, il n'était pas avare de compliments à son sujet, ce qui l'enchantait. C'était tellement doux de recevoir des compliments de sa part !

Durant cette joyeuse équipée à trois dans les magasins londoniens, il l'attirait de temps à autre pour un bref et chaste baiser sur la joue. Tendre baiser qui lui rappelait aussitôt les étreintes passionnées qu'ils avaient échangées, leurs baisers si ardents durant lesquels ils s'étaient donnés l'un à l'autre sans retenue.

Au point qu'à présent, couchée sur le dos dans l'obscurité de sa luxueuse chambre, elle se mettait à rêver que la relation entre eux puisse dépasser la quinzaine de jours qui leur étaient impartis. Cela lui paraissait *presque* possible…

Mais il fallait être réaliste.

Au bout des deux semaines prévues, elle allait reprendre son avion pour l'Australie. Son contrat serait terminé, et Hugh commencerait une nouvelle existence avec Ivy.

Après tout, Ivy et son père n'avaient pas besoin d'elle pour être heureux. En quoi leur serait-elle indispensable ?

100

Comme elle était sur le point de s'endormir, elle réalisa que quelque chose était pourtant en train de mûrir en elle.

L'inévitable était en train de se produire : qu'elle le veuille ou non, elle était bel et bien en train de tomber amoureuse de cet homme merveilleux.

6.

— Papa ?

Hugh passait devant la porte de sa fille. En entendant l'appel, il entrouvrit la porte.

— Qu'y a-t-il, ma poupée jolie ? murmura-t-il.

— Tu peux bien venir me border dans mon lit ?

— D'accord.

La petite lampe de nuit qui était posée près du lit d'Ivy dispensait une jolie lumière rose qui rendait les joues de l'enfant encore plus délicieuses. Hugh se sentit envahi par une bouffée d'émotion, de grand bonheur.

Il s'assit au pied du lit.

— Joanna t'a déjà parfaitement bordée, mon ange. Que veux-tu que je fasse de plus ?

— Enfin, papa, geignit-elle d'une petite voix. Tu devrais comprendre ce que je veux dire quand je te demande de venir me border !

— Ça veut dire quoi, cette demande ?

Ivy fronça légèrement les sourcils et le fixa droit dans les yeux.

— Tu devrais le savoir.

— Ah bon ?

— Eh bien oui, quoi ! insista Ivy en pointant le menton avec impatience. Tu es mon papa, non ?

— Tu sais, mon amour, je n'ai jamais bordé de petites filles dans leur lit, confessa-t-il, un peu piteux. Tu es ma seule fille, tu comprends ?

Ivy tourna soudain la tête en direction de la chambre de Joanna.

— Joanna sait, elle.

Hugh soupira.

— C'est normal, elle a des petites sœurs. Elle a l'habitude. Moi, j'aimerais bien savoir te border comme il faut, mon poussin.

— Ah non, papa ! Ne m'appelle pas comme ça.

— Tu ne veux pas que je t'appelle « mon poussin » ? Et pourquoi ?

— C'est le nom qu'elle m'a donné.

— Qui donc ?

— L'autre, là. Elle m'a appelée « mon poussin ». Je n'aime pas ça.

— Mais quelle autre ?

— Tu sais bien, la dame blonde qui sent très fort le parfum.

— Ah, Priscilla. Elle t'a appelée comme ça ?

Il afficha une grimace complice, puis un sourire amusé.

— C'est promis, Ivy. Je ne t'appellerai jamais plus mon pous... Hum, je ne te donnerai jamais plus ce nom.

Le sourire radieux de sa fille émut Hugh, qui enchaîna d'un ton affectueux :

— Lorsque Joanna vient te border, elle s'y prend comment, elle ?

Ivy tapota le lit, tout près d'elle.

— Ah, très bien, fit Hugh en s'asseyant légèrement tout près de l'enfant. Elle s'assied là, donc.

— Et puis elle me raconte une histoire. Mais tu n'es pas obligé de me raconter une histoire, tu sais.

Hugh se sentit rassuré. Il ne voyait pas quel genre d'histoire il aurait pu lui narrer. Il n'avait jamais eu l'occasion de raconter des histoires à des enfants.

— Que veux-tu que je fasse, alors ? dit-il, un peu déconcerté.

— Ce n'est pas difficile à deviner !

— Et si je te faisais un gros baiser ? hasarda-t-il, soudainement inspiré.

— Voilà ! s'écria joyeusement Ivy, folle de bonheur.

Il se rapprocha d'elle et, se redressant sur son lit, elle se jeta dans ses bras avec une fougue extraordinaire.

Il la tint un moment serrée contre lui, les yeux humides, bouleversé par cet incomparable amour qu'il découvrait progressivement avec Ivy : l'amour d'un père pour son enfant.

— Je t'aime, mon papa adoré.

— Je t'aime, moi aussi, ma puce.

Il l'installa confortablement dans son petit lit, la reborda soigneusement, et posa un dernier baiser sur son front.

— J'aime bien quand tu m'appelles comme ça, murmura-t-elle en souriant.

— Quand je t'appelle comment ? « Ma puce » ?

— Oui.

— Bon, alors ce sera un terme que je garderai uniquement pour toi.

— Tu sais, papa ?

— Quoi, mon amour ?

— Je suis vraiment contente. Tu as fini par me retrouver. Et ça faisait longtemps que je t'attendais. Ça faisait longtemps, longtemps…

Une larme glissa sur la joue d'Hugh, qu'il fit disparaître aussitôt.

Comment sa fille avait pu lui ouvrir son cœur aussi rapidement ? Quelle chance il avait d'avoir pu la retrouver ! Et quelle merveilleuse enfant c'était !

Un peu plus tard, revenu dans sa chambre, il s'assit sur son lit, pensif. Il repensait à ce que lui avait demandé Joanna : que les choses soient mises au point auprès de Priscilla.

Il fallait éviter que cette dernière n'aille colporter de fausses nouvelles autour d'elle.

Par ailleurs, il s'agissait que Priscilla comprenne une fois pour toutes que l'histoire entre elle et lui était terminée. Définitivement terminée.

Le lendemain, au milieu de l'après-midi, alors qu'il se trouvait à son bureau en plein cœur de la City, il se décida pour ce désagréable coup de téléphone qu'il lui fallait donner à Priscilla.

Quelle corvée !

Il poussa un soupir, sortit de sa poche son téléphone portable et appuya sur le bouton qui ouvrait la liste des différentes personnes en mémoire.

— Ah, bonjour Hugh, répondit immédiatement Priscilla du ton haut perché, à la fois mondain et exagérément ravi, qui était habituellement le sien. Tu vas bien ? Que puis-je faire pour toi, mon chéri ?

— Bonjour, Priscilla. Hum… Comment vas-tu, aujourd'hui ?

— Parfaitement bien. Je me trouve au Ritz. C'est l'heure du thé.

C'était bien dans le style de Priscilla : s'installer dans le fauteuil d'un grand hôtel en regardant la pluie tomber, et

106

en guettant les gens du grand monde aller et venir au son d'un trio à cordes jouant du Mozart, à l'autre bout d'une immense salle. Il l'imaginait, un verre de champagne à la main, et sur les lèvres le sempiternel sourire de celle qui n'a jamais de souci à se faire.

— Tu ne devineras jamais avec qui je suis, poursuivit Priscilla avec une tonalité sirupeuse.

— Non. Avec qui donc ?

— Avec ta fille et sa gouvernante.

Non ! Cela ne se pouvait pas ! Elle se moquait de lui !

Il sentit ses poils se hérisser d'horreur dans son cou.

— Quelle étrange coïncidence, n'est-ce pas ? dit Priscilla avec un rire argenté. Je les ai croisées toutes les deux au moment où elles quittaient Hyde Park.

Il n'en croyait rien ! Les choses avaient dû se passer autrement : Priscilla avait certainement guetté Joanna et Ivy afin de les retenir dans ses griffes.

Mais pour quelle raison ? Que mijotait-elle encore ?

Il se leva, son téléphone portable collé à l'oreille, et se dirigea rapidement vers l'ascenseur qui menait au parking. Glacé, inquiet, il s'efforça d'adopter une voix tranquille, mais c'est un son écorché qui sortit de sa gorge.

— Comment vont-elles ?

— Oh, elles vont très bien. Joanna est en train de siroter un thé de Chine, et Ivy — quelle gourmande ! — est toute barbouillée de jus de framboise.

Hugh jura à part lui. Il n'appréciait pas du tout la situation. Il se méfiait de Priscilla comme de la peste. Pourquoi celle-ci avait-elle emmené Joanna et Ivy dans ce grand hôtel ? Qu'avait-elle derrière la tête ?

Au moment où il arrivait à sa voiture dans le parking, le portable toujours à l'oreille, Priscilla lança d'un ton dégagé :

— Ah, je crois que nous avons une petite urgence !
Mademoiselle Ivy a besoin d'aller au petit coin.

Puis elle mit fin à la communication.

Hugh fulminait. Il n'appréciait pas du tout la manière
obstinée qu'avait Priscilla de s'occuper de ce qui ne la
regardait pas. Dès qu'il en aurait l'occasion, il lui expli-
querait que tout était fini entre eux et qu'il ne souhaitait
pas la revoir.

Il s'engouffra dans sa voiture et se dirigea aussi vite que
possible dans la direction du Ritz. Mais la circulation n'était
pas aisée. Il pleuvait.

Trépignant d'impatience, il arriva enfin devant le grand
hôtel. Le portier, en élégante livrée et coiffé de son traditionnel haut-de-forme, le reconnut aussitôt.

— Bonsoir, lord Strickland. Désirez-vous que j'aille
garer votre voiture ?

— Merci, je vous laisse les clés.

Passant par la porte-tambour, il entra comme une
flèche dans le Ritz. Où se trouvaient donc Joanna et Ivy ?
Il parcourut du regard le grand salon du rez-de-chaussée
puis, ne voyant personne, s'engagea dans un autre salon
tout aussi luxueux.

Soudain, il aperçut Priscilla. Mais elle était seule.

Il marcha vers elle d'un pas vif.

— Ah, Hugh, c'est toi ? s'exclama-t-elle, l'air très surpris
de le voir.

— J'aimerais que nous ayons une conversation, toi et
moi, Priscilla. Mais nous verrons cela plus tard. Où sont
passées Joanna et Ivy ?

— Ah, la chère petite a disparu !

— Disparu, mais où ?

Il avait crié si fort que quelques têtes se retournèrent.
Dans ce lieu feutré, les éclats de voix étaient rares.

Essayant de se maîtriser, il questionna de nouveau :

— Et Joanna ? Où se trouve-t-elle ?

Un sourire un peu moqueur passa sur le visage poudré de Priscilla.

— Je crois qu'elle a dû paniquer. Elle a subitement disparu.

Hugh savait parfaitement que ce comportement ne correspondait aucunement au caractère de Joanna.

— Et Ivy ? insista-t-il, tendu. Où était-elle lorsque tu l'as vue pour la dernière fois ?

— Elle a voulu aller aux toilettes, mais elle n'est pas revenue.

— Est-ce que tu es allée voir ces toilettes ? Tu as bien cherché ?

Priscilla lui saisit le bras et l'entraîna dans la direction des toilettes.

— Je vais te montrer où j'ai vu ta fille pour la dernière fois avant qu'elle ne disparaisse dans la nature.

Comme ils s'engageaient sur la moquette pourpre, dans un large couloir, ils tombèrent sur Joanna qui marchait vers eux d'un pas tranquille.

Hugh ressentit aussitôt un grand soulagement : Joanna n'avait pas du tout l'air de s'affoler.

— Ivy n'est pas avec vous ? interrogea-t-il aussitôt, le souffle court.

La question était stupide, il le comprit aussitôt. La fillette n'était manifestement pas avec elle.

— Elle va revenir sans tarder, j'en suis sûre, répondit Joanna d'une voix calme.

— Vous êtes sûre ? Je suis très inquiet. Avez-vous demandé au personnel si ma fille se trouve dans les parages ?

— On m'a assuré qu'on allait tout faire pour la retrouver.

On la cherche à droite et à gauche. Elle a dû vouloir explorer l'hôtel...

— Et la police ?

Joanna le dévisagea d'une manière à la fois étonnée et tranquille.

— Nous n'en sommes pas là, Hugh. Ivy va revenir dans un instant, c'est sûr.

De plus en plus anxieux, il se passa nerveusement la main dans les cheveux.

— C'est tout de même incroyable ! On ne disparaît pas comme ça ! grommela-t-il en sortant de sa poche son téléphone portable.

— A qui voulez-vous téléphoner ? dit Joanna, alertée.

— A la police, bien sûr.

Joanna posa une main sur son bras pour le retenir et à la fois pour l'apaiser.

— Pour l'amour du ciel, calmez-vous, Hugh. Il y a seulement dix minutes qu'Ivy a disparu. N'en faites pas un drame. Je suis sûre et certaine qu'elle va revenir d'une minute à l'autre.

Il la dévisagea, surpris par tant de calme. D'habitude, elle réagissait de manière bien plus émotive.

— Nous sommes dans un grand hôtel, avec pas mal d'agitation. Si votre fille se perd, elle demandera de l'aide. Elle n'est pas stupide.

— En attendant, je suis fou d'inquiétude, murmura-t-il en se passant la main sur le front.

— Que croyez-vous ? Qu'on l'aurait kidnappée pour une rançon ?

— C'est bien possible. On peut tout imaginer. Il faut absolument la retr...

Il s'interrompit brusquement en voyant le large sourire qu'arborait Joanna.

110

— Regardez qui est là ! s'exclama celle-ci d'un ton jovial. Notre petite Ivy !

Ivy se trouvait à l'autre bout du salon. Elle donnait la main à une vieille dame qui avait, elle aussi, le sourire aux lèvres.

— Papa ! s'écria-t-elle avec un ton suraigu. Papa ! Tu es venu, c'est formidable !

Soulagé, Hugh émit un couinement, une sorte de sanglot d'émotion qui se voulait un rire.

— Ouf ! J'ai eu un peu peur, avoua-t-il avec un sourire en fermant un instant les yeux. Il la prit dans ses bras et la serra contre lui, chaviré par l'émotion. Joanna remercia chaleureusement la vieille dame qui continuait à sourire paisiblement.

— Mais où étais-tu passée ? demanda Joanna à Ivy. Nous t'avons cherchée partout. Ton papa était terriblement inquiet, tu sais.

Ivy écarta les bras pour exprimer qu'elle n'était pour rien dans tout cela.

— Priscilla m'a dit d'aller me cacher sous le grand arbre de Noël, là-bas, pour jouer à cache-cache. Elle m'a dit d'attendre jusqu'à ce que Joanna me trouve. Mais personne ne venait me chercher. Alors j'ai pleuré, et la gentille dame m'a entendue et m'a consolée.

— Quelle peste que cette Priscilla ! gronda Hugh, furieux. Mais où est-elle passée ?

Il regardèrent autour d'eux. Priscilla avait disparu.

— C'est clair comme de l'eau de roche, commenta Joanna, un sourire sur les lèvres. Priscilla, dans son hostilité contre moi, a dû vouloir me faire passer pour une incompétente, une idiote incapable de surveiller votre fille.

— Mais pourquoi avez-vous accepté de monter dans sa voiture en sortant de Hyde Park ?

— Il pleuvait. Je craignais qu'Ivy ne prenne froid. J'aurais dû me méfier. Mais vous, Hugh, comment se fait-il que vous soyez arrivé aussi vite ? Est-ce Priscilla qui vous a téléphoné ?

— Non. A vrai dire, c'est moi qui l'ai appelée. Je voulais lui expliquer… Hum…

Le visage de Joanna se ferma. Elle avait deviné que l'indispensable mise au point n'avait pas encore été faite.

— Vous ne lui avez pas encore fait comprendre ce que je vous avais demandé de lui dire ? Elle pense donc toujours que nous sommes ensemble, vous et moi ?

— J'étais sur le point d'éclaircir une bonne fois la situation lorsqu'elle m'a annoncé — presque joyeusement — que vous aviez égaré Ivy.

— C'est à vous de rectifier le malentendu, Hugh. Ce n'est pas à moi !

— C'est vrai, Joanna. Ce n'est que partie remise.

Il tenta un sourire de réconciliation, mais Joanna semblait très déçue que Priscilla continue à croire à ce scénario inventé de toutes pièces.

— De quoi avez-vous parlé toutes les deux, lorsque vous êtes montée dans sa voiture avec Ivy ? interrogea-t-il d'un ton soucieux.

— Quelle importance ? rétorqua Joanna sur un ton exaspéré. Ah, je n'aurais jamais dû accepter son offre, je n'aurais jamais dû monter dans sa voiture.

Embarrassé, il s'avança pour poser sa main sur son épaule, un geste d'apaisement qui lui semblait naturel, mais elle le regarda d'une telle manière qu'il renonça.

D'accord. Tant qu'il n'aurait pas expliqué la situation réelle à Priscilla, Joanna lui en voudrait.

— Je vous ramène à la maison, dit-il.

— Ah, enfin ! s'écria Ivy, radieuse.

— Je vais chercher les manteaux et j'arrive, dit Joanna sur un ton crispé.

Quelques instants plus tard, ils venaient de passer la porte-tambour de l'hôtel lorsqu'un agent de police héla Hugh avec un ton respectueux.

— Lord Strickland ?

— Oui. Que voulez-vous ?

— On nous a dit que votre petite fille a disparu. Un rapport est en cours.

Cette peste de Priscilla n'avait pas fini de leur empoisonner la vie !

— Nous l'avons retrouvée, répondit-il en s'efforçant d'afficher un sourire courtois. Je vous remercie. Inutile de vous déranger davantage.

7.

La sonnerie stridente du téléphone réveilla Joanna. Elle avait l'impression que le téléphone n'avait pas cessé de sonner durant le demi-sommeil qui avait été le sien.

Elle n'avait pu s'endormir avant minuit et il lui semblait que le téléphone avait sonné à maintes reprises en début de matinée.

Lorsqu'elle se rendit dans la salle à manger, Ivy et Hugh étaient déjà installés.

— Nous avons commencé le petit déjeuner sans vous, dit-il d'une voix étrangement tourmentée.

— J'ai dormi un peu tard, répondit-elle, décontenancée.

— Je ne sais pas comment vous avez fait, avec le téléphone qui n'arrêtait pas de sonner !

Le ton d'Hugh était anormalement tendu. Elle n'avait donc pas rêvé, il y avait eu de nombreux appels téléphoniques. Que se passait-il ?

— Prenez donc une tasse de thé avant d'affronter la journée, proposa Hugh, lugubre.

— Il y a un problème ? interrogea-t-elle, le cœur serré par l'angoisse.

Hugh demeura sans répondre, le visage sombre et fermé, les lèvres pincées.

— Allons, Hugh, insista-t-elle d'un ton anxieux, dites-moi ce qu'il se passe. Est-ce que cela me concerne ?

— Malheureusement, oui.

Son regard se posa de manière éloquente sur le journal posé non loin de là.

Joanna se sentit devenir pâle.

— Ne me dites pas que Priscilla s'est arrangée pour contacter la presse ?

— Ne vous inquiétez pas. C'est du n'importe quoi, un ramassis de non-sens. Et cela ne trompera personne.

— Mais alors, pourquoi tous ces coups de téléphone, ce matin ?

Juste au moment où elle posait la question, une nouvelle sonnerie retentit.

— Vous avez mis le téléphone sur répondeur automatique ?

— Non. C'est Humphries qui prend les appels. Il effectue un remarquable travail de tri des appels et note ceux auxquels il me faudra répondre. Il transmet à mon adjoint chargé des relations publiques les appels venant des médias et me classe à part les messages personnels que je lirai plus tard.

Les yeux de Joanna revinrent sur le journal qui se trouvait à portée de main. Elle devinait qu'en l'ouvrant, elle allait avoir une surprise. Une surprise probablement assez désagréable.

Comme s'il avait deviné ses préoccupations, Hugh se pencha sur Ivy.

— Tu veux bien aller retrouver Regina dans la cuisine, mon trésor ?

— Est-ce que Joanna peut venir avec moi ?

— Non. Elle et moi avons à parler.

Comme Ivy s'éclipsait en dansant, Hugh tendit le journal à Joanna.

— Je vous laisse regarder ça, dit-il sombrement. Je reviens dans un instant.

Les mains de Joanna tremblaient tandis qu'elle parcourait le journal. Elle tomba enfin sur l'article et commença à lire en s'enfonçant sur sa chaise.

L'enfant chérie de lord Strickland
Lord Hugh Strickland, habituellement considéré comme une personnalité au-dessus de tout soupçon, et qui d'ordinaire n'aime guère faire parler de lui, est, comme tout le monde sait, l'unique fils du comte de Rychester. Mais il vient de ternir l'image de l'illustre famille par un scandale que nous allons relater ici.

Ce scandale, pour résumer l'affaire, comprend le suicide d'une jeune femme qui avait été la maîtresse de lord Strickland, et l'apparition soudaine de l'enfant illégitime de celui-ci, une petite fille de cinq ans gravement handicapée arrivée d'Australie en début de semaine.

— Mon Dieu ! songea Joanna, atterrée. Comment pouvait-on publier de telles infamies ?

Elle avait craint le pire. Et l'article était encore pire que pire : l'horreur absolue. Révulsée, elle s'obligea à lire la suite, qui se révélait honteusement mensongère.

Le scandale continua lorsque hier, la jeune nurse australienne de la petite fille, Joanna Berry — non qualifiée, il faut le préciser — s'avisa de promener celle-ci dans un grand hôtel londonien.

La nurse, qui avait d'autres soucis en tête — lord Hugh, par exemple — perdit de vue l'enfant, et l'on fut dans l'obligation d'alerter la police.

117

Manifestement, cette nurse australienne souhaite offrir ses soins au père bien plus qu'à la fille. Et elle a réussi à s'y prendre de telle manière que la nouvelle d'un mariage prochain a dû être annoncée. Quelle aubaine pour une pauvre Australienne venue du fin fond de sa campagne (Bindi Creek, chers lecteurs. Avez-vous déjà vu ce nom quelque part ?). Que pouvait-elle rêver de plus féerique ? Une bague au doigt, des bijoux, l'appartenance à l'une des plus anciennes et des plus riches familles du pays : quelle réussite ! En épousant l'héritier du comte de Rychester, Mlle Berry a tenté de décrocher le gros lot.

Ce qui est tout à fait blâmable, dans cette histoire, c'est l'abandon d'une petite handicapée en plein Londres, une pauvre enfant qui nécessite des soins médicaux constants. Mais les choses ne se passeront probablement pas comme Joanna Berry le souhaite. Le retour de l'ambitieuse Australienne pour son lointain pays est probablement pour très bientôt.

On attend une déclaration du comte de Rychester. Nous tiendrons nos fidèles lecteurs au courant.

En lisant l'abominable article, Joanna sentit progressivement une nausée lui remuer l'estomac. Au bout de l'article, elle était sur le point de vomir.

Chaque phrase, chaque mot était comme un poignard qui lui perçait le cœur. Elle savait que la presse peut se révéler parfois, mensongère, ordurière, calomnieuse, mais elle n'avait jamais imaginé que cela pouvait aller jusqu'à ce point. Dans ce texte, il n'y avait pas une ligne qui ne fût un mensonge éhonté.

Des larmes de rage et de douleur coulèrent sur ses joues tandis qu'elle demeurait figée sur sa chaise, écrasée, incapable du moindre mouvement.

— Joanna, remettez-vous. Ce ne sont que des mensonges abjects.

Hugh s'était approché d'elle sans qu'elle l'entendît venir.

Joanna essuya comme elle le pouvait ses larmes qui continuaient de couler. Elle tremblait de rage.

— Tout cela est à cause de Priscilla, n'est-ce pas ? A cause de cette stupide invention de fiançailles ?

— Oui, admit-il, affligé. Je ne pensais pas qu'elle pouvait se montrer si perfide. Mais elle ne vous causera plus de tort, désormais. J'ai eu une explication avec elle hier soir.

— Le mal est fait ! s'écria Joanna, désespérée. Ce que je ne comprends pas, c'est comment un journaliste peut être capable d'écrire de pareilles horreurs. C'est parfaitement répugnant. C'est innommable !

Elle ne parvenait pas à arrêter ses pleurs. Elle se sentait meurtrie, avilie.

Hugh vint près d'elle et la serra tendrement dans ses bras.

— Je suis désolé, Joanna, dit-il d'une voix éraillée. Je suis désolé de tout ce qui s'est passé.

Comme elle aurait voulu lui en vouloir, le détester pour ce mensonge absurde qu'il avait inventé ! Mais elle n'y parvenait pas, car son regret était sincère, c'était évident.

Et il la serrait contre lui avec tant de douceur qu'elle se sentait peu à peu réconfortée.

Lorsqu'elle se fut enfin calmée, elle releva la tête et l'interrogea du regard.

— Cet article doit être affreusement pénible pour vous aussi, Hugh ?

Il fronça un instant les sourcils et serra les mâchoires.

— C'est surtout pour vous et pour Ivy que je me fais du mauvais sang. Mais ne vous inquiétez pas : je vais faire en sorte que Priscilla devienne *persona non grata* pour toutes mes fréquentations. Je m'arrangerai pour qu'elle ne soit plus invitée dans les cercles londoniens. Elle a signé son exil.

Il se retourna. On venait de frapper discrètement à la porte.

— Oui ? lança-t-il sèchement.

C'était Humphries, comme à l'ordinaire calme et respectueux, en dépit de l'intense agitation qui se faisait autour de la demeure de lord Strickland.

— Je viens de recevoir un message de la conseillère juridique que vous m'aviez demandé de contacter.

— Alors ? dit Hugh, impatient. Que pense-t-elle de la situation ?

— Elle estime qu'un procès serait bien trop hasardeux, que vous auriez peu de chances de le gagner.

— Cela ne me surprend pas, marmonna-t-il.

Joanna n'était pas de cet avis.

— Cet article est un tissu de mensonges et de calomnies, il n'y a rien de vrai là-dedans...

— Hélas, si, Joanna. Pour être exact, l'article est un ensemble de calomnies, c'est vrai, mais qui sont fondées sur des faits qu'on ne peut nier. C'est là le problème.

— Des faits ? Quels faits ?

— Eh bien, pour commencer, le suicide de Linley ne peut être nié.

— D'accord. Mais on ne peut pas laisser dire ni écrire qu'Ivy est une handicapée...

— C'est une question de langage, Joanna. Un bon avocat pourra facilement plaider que la brûlure d'Ivy constitue un handicap.

Joanna secoua lentement la tête, catastrophée.

— Et je suppose que l'on pourra toujours considérer que

j'ai laissé Ivy se perdre dans l'hôtel… Personne ne pourra prouver le contraire.

L'expression désabusée d'Hugh indiquait qu'en effet, on ne pourrait pas se défendre sur ce point-là non plus.

— On continuera à me considérer comme une petite dinde arriviste venue de sa campagne australienne, et personne ne dira le contraire.

Blessée jusqu'au plus profond d'elle-même, Joanna sentit une nouvelle fois les larmes monter à ses yeux.

— Et cette histoire de mariage ? poursuivit-elle, désemparée. Qu'allez-vous faire ? Qu'allez-vous dire aux gens, à vos amis ?

Le silence qui se fit dans la pièce fut plus impressionnant qu'un coup de gong. La question demeurait en suspens, et Hugh restait appuyé contre la table, immobile comme une statue. Mais ses yeux étaient animés d'une étincelle inhabituelle qui intrigua Joanna.

— Ce que je vais faire ? répéta lentement Hugh. Ce que je vais dire aux gens ?

Il fit une pause, l'air pensif.

— Je ne sais pas, continua-t-il sur le même ton. Il me semble qu'il n'est pas nécessaire de se précipiter pour démentir cette annonce de mariage. Après tout, c'est le Nouvel An, non ?

— Mais qu'est-ce que la nouvelle année a donc à faire dans cette histoire ?

Les yeux d'Hugh brillaient d'un éclat si vif, si étrange, que Joanna sentit sa respiration s'arrêter.

Brusquement, elle se rappela le baiser si ardent, si passionné, qu'ils avaient échangé sous le gui, et ce souvenir déclencha en elle une vague de chaleur.

— Nous avons une sorte d'anniversaire à fêter, aujourd'hui,

lança inopinément Hugh, sur un ton plein de gaieté. Cela fait une semaine que nous nous connaissons, Joanna !

Une semaine ! Si peu de temps ! Elle avait l'impression de le connaître depuis toujours.

Le sourire toujours aux lèvres, il annonça alors, sur un ton à mi-chemin entre sincérité et plaisanterie :

— Au bout d'une semaine, il serait temps d'annoncer nos fiançailles de manière officielle, non ?

Il était en train de la taquiner, pensa-t-elle, agacée. C'était évident. Mais le moment est-il vraiment choisi ?

Elle ne se sentait guère d'humeur à plaisanter. Hugh Strickland avait beau être séduisant, être un lord, descendre d'une très illustre famille, cela ne lui donnait pas le droit de se moquer d'une jeune Australienne qui avait traversé la moitié de la planète pour venir s'occuper de sa petite fille.

Elle redressa la tête, une manière pour elle de masquer le tumulte intérieur qui était le sien. Puis, enchaînant sur la même tonalité plaisante que venait d'adopter Hugh, elle dit en le fixant hardiment dans les yeux :

— Quelle excellente idée, très cher ! Nous pourrions annoncer nos fiançailles dès ce soir, lors de l'invitation de votre ami Rupert. Et puis, pendant qu'on y est, je pourrais envoyer un message urgent à l'Amicale Féminine de ma petite ville pour leur faire part de la grande nouvelle. C'est une idée géniale, non ?

Elle s'attendait à ce qu'Hugh éclate de rire ou à ce qu'il secoue la tête d'un air exaspéré, mais il ne se passa rien de tout cela.

Le visage grave, immobile, il la fixait de manière pathétique.

Pendant d'interminables secondes ils se fixèrent ainsi, sans faire le moindre mouvement, ni des lèvres, ni des mains, ni des yeux. Ils demeuraient figés dans une lente et extraordinaire hypnose.

C'est la sonnerie de la porte d'entrée qui les fit sortir de cet étrange face-à-face.

— Laissons Humphries ouvrir la porte, conseilla Hugh, prudent. Au cas où ce seraient des journalistes ou des photographes.

Par curiosité, Joanna alla jusqu'à la fenêtre dont elle écarta les rideaux.

— Attention ! s'écria Hugh. Ne vous montrez pas !

Trop tard. Un flash illumina l'espace. Joanna fit un bond en arrière, mais trop tard.

— Je suis désolée, Hugh. Je ne pensais pas qu'ils arriveraient à me repérer.

On entendit alors la porte d'entrée claquer avec violence, et une voix masculine très autoritaire s'exclama avec indignation :

— Ah, ces journalistes, quelle peste !

— Ce n'est pas votre parapluie qui pourra leur faire peur, Felix, répondit en écho une voix féminine non moins autoritaire.

Hugh eut l'expression de celui qui vient d'avaler une potion médicinale amère.

— Hum, Joanna, vous allez avoir le plaisir de faire la connaissance de mes parents, dit-il avec une grimace éloquente.

— Mais je croyais qu'ils venaient du Devon ?

— C'est vrai, mais en hélicoptère. C'est bien plus commode.

Dieux du ciel, pensa Joanna, dépassée par les événements. Elle ne se sentait guère l'envie de faire des mondanités.

Hugh lui passa tendrement un bras autour des épaules.

— Allons, Joanna, ne faites pas cette tête-là. Mes parents

vont vous adorer, vous allez voir. Vous êtes la bru dont ils rêvent depuis toujours !

Elle tourna brusquement la tête, furieuse.

— Cessez de plaisanter sur ce sujet, Hugh ! Je ne trouve pas ça drôle du tout.

Elle devinait que si les parents d'Hugh n'avaient pas directement lu l'article infâme qui avait paru ce matin, ils en avaient probablement entendu parler. Et ils devaient penser, dès lors, que l'Australienne venue pour s'occuper d'Ivy partageait le lit de leur fils. Cette idée la rendait malade, au point qu'elle avait envie de longer les murs pour aller se réfugier dans la cuisine auprès d'Ivy et de Regina.

— De quelle manière faut-il que je m'adresse à vos parents ? demanda-t-elle, au comble de l'anxiété. Il y a des termes d'usage pour la noblesse, n'est-ce pas ?

— Appelez-les par leur prénom : Felix et Rowena, tout simplement.

— Je n'oserai jamais !

— Ou alors, si vous y tenez absolument : lord Felix, et lady Rowena.

Elle s'attendait à ce qu'Humphries effectue le rôle d'aboyeur, comme dans les films, et qu'il ouvre la porte de manière solennelle, en annonçant à la cantonade : Le comte et la comtesse de Rychester.

Mais ce ne fut pas Humphries qui poussa la porte. Ce fut la mère d'Hugh, une assez petite femme d'aspect fort simple, avec un bon visage encadré par des cheveux poivre et sel.

Joanna se sentit rassurée : elle s'était attendue à un personnage de haute taille, distant et dédaigneux. Lady Rowena était tout le contraire. Elle se précipita pour serrer son fils dans ses bras.

— Hugh, mon cher enfant !

— Mère ! C'est bon de vous voir !

Le comte de Rychester, pour sa part, paraissait d'une nature bien plus austère. Très grand, très sévère, il gardait la tête haute et les lèvres pincées. Il avait grande allure, mais à dire vrai il était terriblement intimidant.

Il salua courtoisement et froidement son fils avec un commentaire glacial.

— Ces énergumènes de la presse qui sont à ta porte sont excessivement désagréables.

Puis il tourna la tête et son regard noir se posa sur Joanna avec une intensité qui la paralysa d'un coup.

8.

Hugh intervint sans tarder.

— Mère, père, permettez-moi de vous présenter Joanna Berry, annonça-t-il d'une voix souriante. Comme vous le savez, elle est venue spécialement d'Australie pour aider Ivy à s'adapter à sa nouvelle vie. Joanna s'est montrée extrêmement utile, et je ne sais pas comment j'aurais fait sans elle.

La mère d'Hugh prit la main de Joanna dans la sienne et la serra de manière amicale.

— Je suis très heureuse de vous connaître, Joanna. Et je vous suis très reconnaissante de ce que vous faites pour Hugh.

— Je vous remercie, lady Rowena, répondit Joanna, un peu intimidée.

— Content de vous connaître, Joanna, lança le comte d'un ton amène.

— Je suis ravie, lord Rychester, reprit-elle avec un sourire courtois.

Pendant quelques secondes, il y eut une sorte de flottement, d'hésitation, et ce fut la mère d'Hugh qui reprit d'un ton chaleureux :

— Ma chère, vous devez être épouvantée par la presse britannique, j'imagine. Je suis consternée.

— C'est gentil à vous de me dire cela, dit Joanna, le rouge aux joues.

— La surprise a été rude, commenta Hugh avec le ton modéré de ceux qui ont reçu l'éducation la plus poussée.

— Ces tabloïdes sont une honte, ajouta le comte de Rychester en dardant sur elle son œil vif. J'espère que cet incident ne va pas vous faire fuir prématurément en Australie ?

— Non, pas encore, monsieur.

— Avec tout ce cirque, Joanna n'a même pas encore eu le temps de prendre une tasse de thé de la matinée, dit Hugh.

— Eh bien, nous prendrons le thé ensemble, trancha gaiement le comte.

— Mais où est Ivy ? demanda la maman d'Hugh. J'ai hâte de connaître ma petite-fille. Est-elle réveillée ?

— Elle est dans la cuisine avec Regina, dit Hugh. En train de manger son œuf à la coque.

— Ah comme j'ai hâte de la voir ! Est-elle timide ?

— Pas tellement, répondit Hugh. Je vais la chercher.

Dès qu'Hugh fut parti, Joanna se souvint d'un fait qui l'inquiéta : Ivy était encore en pyjama, elle n'était pas coiffée, pas lavée. Diable, si les parents d'Hugh la voyaient dans un tel état, ils risquaient de ne pas avoir une très bonne opinion de la personne qui s'occupait de l'enfant — c'est-à-dire elle !

A peine les parents d'Hugh eurent-ils pris place dans le salon qu'on entendit la voix fluette d'Ivy qui demandait avec son habituelle tonalité chantante :

— Dis, papa. C'est vrai que j'ai une grand-mère anglaise ?

— Oui. Tu sais, nous t'en avons parlé hier, avec Joanna. Ta grand-mère est là. Elle attend de te voir !

— C'est une grand-mère comme dans les histoires de fées ?

— Mais non, voyons. C'est une vraie grand-mère, bien réelle. Ta grand-mère et ton grand-père ont pris un hélicoptère spécialement pour venir te voir.

Lorsque Ivy se montra enfin, au coin de l'escalier, elle roulait des yeux ronds, très intimidée.

— Va dire bonjour, mon ange, lui conseilla gentiment son père.

— Bonjour, lança Ivy d'une voix faible.

Joanna comprit qu'il fallait essayer de détendre l'atmosphère.

— Ivy, viens avec nous. On va montrer ta jolie chambre à ta grand-mère, qu'en dis-tu ?

— Bravo, Joanna ! Je ne sais pas comment j'aurais fait sans vous.

C'était le milieu de l'après-midi, et Hugh s'était étendu sur l'un des canapés du salon, tandis que Joanna occupait un profond fauteuil.

— Je n'arrive pas à réaliser qu'Ivy est sortie avec eux, reprit Hugh avec un rire incrédule.

— Vos parents sont fiers de leur petite-fille, dit Joanna en souriant. Et ils sont enchantés de pouvoir se promener avec elle dans Hyde Park.

— En tous les cas, Ivy a vraiment adopté mes parents tout de suite. C'est fou !

— De la même manière qu'elle vous a adopté, vous, Hugh.

— En tous les cas, mon père s'est comporté avec vous d'une façon qui m'a étonné. Avec aucune autre de mes amies il ne s'était montré aussi aimable.

— C'est sans doute parce que moi, je ne suis pas votre petite amie !

— Pas encore, dit-il en riant. Mais une nouvelle année va bientôt commencer, et on ne sait jamais ce qu'il peut arriver. Qu'en pensez-vous ?

Il avait prononcé ces mots d'une telle manière qu'elle tressaillit.

Hugh se leva alors et s'approcha d'elle.

— J'ai terriblement envie de vous, Joanna, murmura-t-il avec passion.

Mon Dieu, pensa-t-elle, dévastée, tandis qu'un bouillonnement de désir éclatait en elle de manière quasi volcanique. Que faisait-on dans ces cas-là ?

Il la serra contre lui avec une ardeur impatiente.

— Non, chuchota-t-elle, bouleversée, il ne faut pas.

— Montons dans ma chambre. S'il vous plaît, Joanna. Vous avez envie de moi, n'est-ce pas ?

Evidemment qu'elle défaillait de désir pour lui ! Mais elle était déterminée à ne pas céder.

Elle s'arracha à son étreinte.

— Je suis ici pour m'occuper d'Ivy, lord Hugh, lança-t-elle rageusement, les joues en feu et le souffle court. Pas pour être votre petite amie !

— Calmez-vous, Joanna, calmez-vous.

Hugh parut hésiter un instant, puis il reprit d'une voix érodée par l'émotion :

— Et si je vous disais que je vous aime ?

Oh, pourquoi disait-il cela ? C'était fou...

Elle était trop stupéfaite pour répondre. La déclaration d'Hugh la touchait dans sa zone la plus sensible, la plus fragile. Et c'est les larmes aux yeux qu'elle se plaignit.

— Pourquoi faut-il que vous soyez celui que vous êtes ? Pourquoi ?

Il la scruta, dérouté.

— Je ne comprends pas ce que vous voulez dire, avoua-t-il sourdement.

Elle émit un soupir plein de désolation et d'amertume.

— Si vous étiez un Anglais lambda, un homme comme tout le monde, ce serait tout différent, Hugh.

— Vous voulez dire que vous accepteriez alors de monter dans ma chambre ? De vous coucher dans mon lit avec moi ?

Elle avala péniblement sa salive.

— Oui, probablement.

— Je ne comprends pas, Joanna. Un jour, vous me dites que vous êtes admirative des titres honorifiques ou aristocratiques, et un autre jour — aujourd'hui — vous m'annoncez que ces titres vous rebutent. Vous n'êtes pas logique avec vous-même !

Joanna détourna la tête. C'était vrai, la confusion régnait dans son esprit.

A bout d'arguments, elle courut sans un mot se réfugier dans sa chambre où elle s'effondra sur le lit.

Que se passait-il ? Pourquoi se sentait-elle aussi perturbée ? Au plus profond d'elle-même, elle rêvait d'une idylle avec Hugh Strickland, et maintenant qu'il lui déclarait sa flamme, elle lui tournait le dos. Hugh avait raison : elle n'était guère logique avec elle-même.

Mais peut-être lui aussi manquait-il de logique. Il était bien possible qu'il confonde désir et amour. Et le désir n'avait rien à voir avec le véritable amour...

Après avoir retourné le problème dans tous les sens, elle songea en soupirant qu'il était temps de se préparer pour la réception donnée par Rupert et sa femme. Hugh lui avait acheté cette superbe robe rouge cerise, il lui fallait trouver un vernis à ongles qui puisse aller avec cette couleur.

Elle fouilla dans son sac de toilette et, quand elle eut trouvé le flacon adéquat, descendit en vitesse jusqu'à la cuisine trouver Regina.

— Regina, puis-je vous demander un service ? Je ne me sens pas très habile pour mettre mon vernis à ongles. Pourriez-vous le faire ?

— Certainement. J'espère ne pas avoir perdu la main.

Deux minutes plus tard, comme Regina lui appliquait délicatement le vernis sur les ongles, elle avoua d'un ton tendu :

— Je me sens un peu nerveuse, ce soir.

— Si c'est à cause de cette réception, vous ne devez pas vous tracasser, Joanna. Rupert et sa femme sont les gens les plus charmants au monde. Vous verrez, vous n'allez pas vous ennuyer. Cette couleur vous va très bien, vous savez !

— Merci.

— Détendez-vous. Vous allez passer une soirée merveilleuse, j'en suis sûre. La dernière soirée de l'année !

9.

Joanna, Ivy et Hugh se rendaient tous trois à la fameuse soirée du Nouvel An chez Rupert et Anne Eliot, conduits par Humphries.

Jamais Hugh ne s'était senti aussi nerveux. Ses sentiments venaient soudainement de prendre une tournure intense, presque dramatique : il était amoureux fou de Joanna, et cet état le tourmentait au plus haut point.

Lorsqu'ils entrèrent dans la maison des Eliot, ils furent immédiatement submergés par l'ambiance de fête : musique, éclats de rire des invités, jeux des enfants qui couraient un peu partout dans les pièces avec des exclamations joyeuses.

Les présentations furent faites. Rupert eut l'air aussi fasciné par Joanna que par Ivy.

— Tu nous a amené deux princesses, lui confia à l'oreille son vieil ami.

— Elles sont belles, n'est-ce pas ? confirma Hugh, ému et fier de ces deux êtres qu'il aimait plus que tout.

Ivy qui gambadait à droite et à gauche ne tarda pas à rejoindre les farandoles de ses nouveaux petits amis. Les miroirs scintillaient, les arrangements floraux étaient superbes, et l'on avait aménagé des parquets spéciaux, bien lisses, pour que les invités puissent danser aisément.

Hugh était ébloui par la beauté de Joanna, par son élégance.

Dans l'ombre de la voiture, il n'avait pas eu la possibilité de bien la voir. Mais sous ces éclairages festifs, il découvrait à quel point elle était resplendissante.

Un peu plus tard dans la soirée, pendant que les invités dansaient et riaient, Rupert, un verre à la main, prit Hugh à part un instant.

— Tu sais ce que j'apprécie le plus chez ton amie australienne, en dehors de son charme ? dit-il, une main sur son épaule.

— Quoi donc ? dit Hugh, curieux de connaître l'opinion de Rupert.

— Je trouve vraiment extraordinaire l'effet qu'elle produit sur toi.

Hugh scruta son ami, ébahi.

— Tu me surprends, Rupert. De quel effet parles-tu exactement ? Je n'y comprends rien moi-même. Tout ce que je peux te dire, c'est que je me sens la tête à l'envers. C'est la première fois que cela m'arrive avec une femme.

— Justement, c'est ça qui est formidable ! C'est la première fois que je constate un effet fantastique d'une femme sur toi.

— Je suis amoureux, murmura Hugh, très remué.

— Elle le sait ?

— Non. Enfin, oui… A vrai dire, je n'en sais trop rien. Je ne sais pas si elle s'en rend compte. J'ai essayé de le lui expliquer, mais je crois que je n'ai pas réussi.

— Attention, il ne faut pas précipiter les choses dans ce domaine, Hugh.

— Et pourtant si, car elle doit retourner en Australie à la fin de la semaine prochaine.

Rupert haussa les sourcils.

— Bon, alors il y a urgence, admit-il.

Il lui tapota chaleureusement l'épaule.

— Mais sois prudent, Hugh. Une proposition de mariage se révèle toujours délicate. Les femmes ont des réactions bizarres, parfois, quand on leur fait ce genre de déclaration. Il faut que tu marches sur des œufs, si tu me permets de te donner un conseil.

Joanna, manifestement très admirée par la partie masculine de l'assistance, avait été plusieurs fois invitée à danser. Elle se trouvait justement sur la piste de danse, dans les bras d'un ami de Rupert. Cela n'avait que trop duré.

Hugh marcha vers elle d'un pas décidé.

— Si vous n'y voyez pas d'inconvénient, je vais prendre la relève, annonça-t-il au cavalier de Joanna, interloqué.

Joanna était sidérée par l'intervention imprévue d'Hugh.

Avec un sourire charmeur, il lui entoura la taille d'un geste possessif. Son cavalier, beau joueur, préféra s'éclipser discrètement.

— Vous ne manquez pas d'aplomb, Hugh, marmonna-t-elle avec humeur.

Pour toute réponse, celui-ci la serra contre lui en l'entraînant dans un slow langoureux.

— Il faut absolument que je vous parle, dit-il à son oreille. C'est important.

— Je vous écoute, Hugh. Mais s'il vous plaît, serrez-moi moins fort, j'en ai le souffle coupé.

— De toute façon, je ne veux pas vous parler ici, pas sur cette piste de danse, avec tout ce monde autour. Venez.

Il la prit par la main de manière autoritaire.

— Montons à l'étage, Joanna, dit-il. J'ai quelque chose à vous montrer. Ce ne sera pas long.

Deux minutes plus tard, ils se trouvaient dans une grande

pièce qui se situait sous le toit et qui avait été aménagée en une très jolie remise.

Hugh, après avoir refermé la porte, la prit passionnément par les épaules.

Joanna recula d'un pas, effrayée.

— Vous n'allez pas essayer de me séduire, Hugh ? dit-elle, inquiète.

— Il ne s'agit pas de ça, Joanna. Je vous ai emmenée ici pour vous parler. C'est important. Voulez-vous m'épouser ?

Joanna sentit un vent de panique.

— Pourquoi vous obstinez-vous à jouer cette comédie stupide, Hugh ? Je pensais que c'était fini, et vous remettez ça !

— Je vous aime.

— Ne dites pas cela.

— Pourquoi ? C'est un fait, Joanna. Je vous aime. Vous êtes un miracle, un merveilleux miracle dans ma vie.

— Ecoutez, Hugh, soyons bien clairs : je suis venue jusqu'à Londres pour m'occuper d'Ivy. Dans une semaine, je reprends l'avion, et...

— Pourquoi ne me croyez-vous pas, Joanna ?

Comme il tentait de l'attirer à lui, elle se dégagea et recula une nouvelle fois.

— Cela ressemble à un conte de fées, Hugh. Moi, je suis une pauvre Australienne venue d'une petite ville perdue, et vous, vous êtes comme un prince charmant. C'est trop beau pour être vrai. Il faut garder le sens des réalités. A cette heure, je devrais être en train de m'occuper d'Ivy, car il va être temps pour elle d'aller au lit...

— Une seconde, Joanna.

Il fouilla dans sa poche et en sortit quelque chose qu'elle ne parvint d'abord pas à discerner. Puis elle vit que cela étincelait et scintillait dans la pénombre.

136

— C'est la bague de fiançailles de ma grand-mère, expliqua Hugh, très ému. Je ne l'ai jamais proposée à aucune femme. Et j'aimerais que ce soit vous qui la portiez, Joanna.

Elle ferma les yeux, bouleversée. Elle devait sans doute rêver. Elle allait se réveiller dans un instant, se frotter les yeux…

— Vous voyez, poursuivit Hugh, il y a cinq pierres : trois diamants et deux rubis. Ma grand-mère m'a raconté autrefois la signification de cet agencement. Les cinq pierres correspondent à ces cinq mots : « Voulez-vous être ma femme ? »

Paralysée de stupeur, elle demeurait silencieuse, fascinée par la bague qui miroitait dans l'ombre.

— Joanna, murmura Hugh. Dites quelque chose, par pitié.

Elle tressaillit et prononça les premiers mots qui lui venaient à l'esprit :

— Je crois que vous êtes allé trop loin, Hugh.

— Quoi ? s'exclama-t-il. Vous ne pensez tout de même pas qu'il puisse s'agir d'un jeu ?

— La dernière fois que vous avez parlé mariage devant Priscilla, il s'agissait d'un jeu, une tromperie destinée à écarter cette importune. Qu'est-ce qui me prouve qu'aujourd'hui la proposition est plus sérieuse ?

Il secoua la tête avec impatience.

— Une demande en mariage, c'est pour la vie, Hugh, reprit-elle avec véhémence. Je suis entrée dans votre chambre tout à l'heure, et, je suis tombée par hasard sur une valise où était clairement inscrit le nom de Priscilla…

— J'avais prévu de demander à Humphries de rendre cette valise à Priscilla, mais avec tous ces événements, j'ai oublié ce détail.

Comme elle le scrutait d'un air dubitatif, il poussa un soupir et reprit avec la même exaspération :

— Je n'ai jamais été amoureux de Priscilla, Joanna. Avant même d'apprendre l'existence d'Ivy, je n'ai jamais aimé cette femme. Je sortais simplement avec elle, voilà tout.

— Et quelle garantie aurai-je, moi, dans un mois ou deux ? Vous pourriez avoir une ou deux valises à moi dans votre chambre, prêtes à être expédiées chez moi.

Il la considéra d'un regard sombre et anxieux.

— Vous n'avez pas confiance en moi, Joanna ?

— Non.

Il y eut un silence pathétique, puis Hugh interrogea d'une voix éraillée :

— C'est votre dernier mot ?

Elle ouvrit la bouche pour répondre affirmativement puis la referma. Elle hésita encore, mais elle repensa aux affaires de Priscilla qui se trouvaient encore chez Hugh.

— Oui, c'est mon dernier mot, murmura-t-elle, le cœur battant.

Hugh jeta un regard sur la bague qu'il tenait encore entre ses doigts. Il ferma brusquement le poing.

— Excusez-moi pour le temps que je vous ai fait perdre, Joanna, jeta-t-il d'une voix défaite.

Il tourna les talons, marcha vers la porte et quitta la pièce sans autre commentaire.

Quelques jours plus tard, la mère de Joanna téléphona dans la soirée.

— Comment vas-tu, ma chérie ?

— Tout va pour le mieux.

— Tu as une drôle de voix...

— Mais non. C'est la ligne qui est légèrement parasitée, sans doute.

— Ivy va bien ? Et Hugh ?

Joanna s'éclaircit la gorge, essayant d'évacuer la boule qui l'obstruait.

— Tout le monde va pour le mieux, assura-t-elle du ton le plus enjoué qu'elle put. Hugh a obtenu un rendez-vous pour Ivy chez l'un des plus grands spécialistes des brûlures de Londres, qui est par ailleurs un de ses anciens condisciples : Simon Hallows. Ce médecin a prévu plusieurs greffes. Il est tout à fait optimiste pour Ivy. Ah, j'oubliais : nous avons trouvé une excellente école primaire, toute proche de la maison d'Hugh.

— Quelle a été la réaction d'Ivy ?

— Quand elle a vu l'école et tout le petit monde qui s'y trouvait, filles et garçons, elle a trépigné pour y aller le plus vite possible !

Sa mère eut un rire attendri.

— Et nous avons aussi cherché une nouvelle gouvernante, ajouta rapidement Joanna.

— Ah ?

Il y avait une certaine déception dans le ton de sa mère.

— Alors, tu veux vraiment rentrer en Australie, Joanna ? Tu ne restes pas à Londres ?

— C'était prévu de cette manière, maman. Il faut que je reprenne mon travail. Je rentre samedi prochain.

— Je pensais... Hum, qu'Hugh t'aurait persuadée de rester...

— Ce n'est pas le cas, répondit-elle sèchement.

Trop sèchement, et sa mère dut s'en apercevoir.

— N'a-t-il pas essayé ? insista-t-elle, à l'autre bout du fil.

139

— Non.

— Je ne te crois pas, ma chérie !

— C'est-à-dire… Il a essayé, c'est vrai. Il m'a demandé de rester, mais pas en tant que gouvernante. Mais ça ne pourrait pas marcher, maman…

Elle sentit une présence tout près d'elle.

Lorsqu'elle tourna la tête, elle vit qu'Hugh se tenait appuyé contre l'encadrement de la porte. Les bras croisés, il la fixait avec attention.

Depuis combien de temps était-il là ? Mon Dieu, comme cette situation était pénible, douloureuse ! Pourquoi restait-il obstinément derrière elle, ainsi ?

— Joanna ! Est-ce que tu es sûre qu'il souhaite que tu partes ? insistait sa mère d'un ton où perçait une nette inquiétude.

— Je… Oui. J'en suis sûre, maman.

C'était vrai. Depuis la proposition de mariage qu'il lui avait faite dans le grenier de Rupert, Hugh n'avait pas une seule fois renouvelé son offre, pas une seule fois tenté de la convaincre de rester. Il s'était juste comporté en parfait gentleman qu'il était. Jusqu'à cet instant.

Car elle trouvait assez discourtois de sa part de rester ainsi derrière son dos en écoutant sa conversation.

— Pendant que j'y pense, reprit sa mère, j'aimerais que tu remercies Hugh pour la très gentille lettre qu'il m'a envoyée. Je viens de la recevoir. Figure-toi qu'il a invité toute la famille en Angleterre.

— Tu plaisantes ?

— Non. C'est vrai. Il est sûr que nous aurions beaucoup apprécié de connaître son domaine familial dans le Devon. Mais si tu ne restes pas, évidemment, ce voyage n'a plus lieu d'être.

Joanna tourna une nouvelle fois la tête : Hugh était toujours là.

Elle crispa nerveusement ses doigts sur le combiné.

— Je suis désolée, maman.

Elle entendit sa mère soupirer. Puis le silence se prolongea pendant plusieurs secondes.

— Tu es là, maman ?

— Oui, oui. Je suis là, répondit sa mère d'un ton préoccupé.

— Alors, je te laisse, maman. Ne te ruine pas en téléphone. Je t'embrasse. A très bientôt, donc.

— Je t'embrasse aussi, ma chérie. Fais un bon voyage.

Sa mère raccrocha. Elle avait eu, pour ces derniers mots, une intonation si triste que Joanna éclata en sanglots.

Joanna sourit, une nouvelle fois. Je suis? Hugh était toujours là.

Pit, il a été par évidemment ses dames sur le contraire le soir de cette... un bras

Elle poussa un léger cri que Pit le chien se profonda pendant plusieurs secondes.

Je ne l'ai pas vu...?

Emraud, ce n'est la responsable mais d'un lion pressé

A y arriva le tirant ouvrir. Peut-être plus tard par la tendresse à froid pour le dire

Les problèmes d'intime me chercher. Elle ne peut voyager depuis longtemps, fille-est-ou pour une de maître mon, seul encore et s'il n'a que je me foulais crispa en sanglant

10.

— Pas d'adieux à l'aéroport, avait demandé Joanna de manière insistante. Ce serait trop traumatisant pour Ivy.

Hugh, d'abord réticent, avait accepté.

C'est donc à St Leonard's Terrace, dans la rue où se trouvait la maison d'Hugh, que l'on se sépara.

Lorsque Joanna prit Ivy dans ses bras, pour la dernière fois probablement, elle eut les yeux pleins de larmes.

Puis elle serra rapidement la main d'Hugh et s'engouffra dans la voiture qui allait être conduite par Humphries.

Hugh regarda la voiture démarrer. Joanna ne se retourna pas, ne fit aucun signe de la main.

Les choses avaient été soigneusement prévues : tandis qu'Humphries la conduirait à l'aéroport de Heathrow, lui-même emmènerait Ivy en ville pour lui offrir une n   peluche, le petit cochon qu'elle avait remarqué (grand magasin.

Il devait donc essayer de distraire sa fille autant que possible, mais comment distraire un enfant quand on a soi-même l'âme si chagrine que l'on a envie de pleurer ?

Dès qu'ils furent rentrés, Ivy, triste et songeuse, murmura d'une voix désolée :

— Papa, tu sais, je ne veux pas de nouvelle gouvernante. C'est Joanna que je veux auprès de moi.

143

— Mais, ma puce, elle t'a expliqué elle-même qu'elle devait retourner en Australie.

— Moi, je ne veux pas qu'elle retourne en Australie, pleurnicha Ivy, obstinée. Pourquoi n'est-elle pas restée ?

Hugh, dévasté, ne savait que répondre.

— Pourquoi l'as-tu laissée s'en aller, papa ?

Il ne s'attendait pas à une telle question.

— Je ne sais pas, soupira-t-il tristement.

Ivy le scruta de manière attentive. Ses yeux verts le fixaient avec une intensité inhabituelle.

— Tu pleures, papa ?

— Non.

— Si. Tu pleures.

— C'est seulement une… une poussière dans l'œil, plaida-t-il maladroitement.

Ivy se redressa d'un coup, comme poussée par une force extérieure. Elle plaça son visage tout contre le sien. Leurs nez se touchaient presque.

— Tu es triste, triste, triste, chuchota-t-elle.

— C'est vrai, un peu.

— C'est parce que Joanna est partie ? Elle ne nous aime plus ?

— Mais si, ma puce. Elle nous aime toujours. Elle nous aime énormément.

Ivy lui enserra le visage avec ses petites mains.

— Ne t'inquiète pas, papa. Elle va revenir.

— Ma puce, il faut que tu comprennes qu'elle ne reviendra pas…

Les yeux d'Ivy s'arrondirent de frayeur.

— Mais alors… Elle est partie pour toujours ?

— Oui, dit-il d'une voix qui se brisa.

Assise à l'arrière de la luxueuse voiture, Joanna regardait les rues de Londres d'un œil absent. Jamais elle ne reverrait cette ville. La page était tournée.

Et soudain, elle comprit ce qu'elle cherchait à se cacher depuis le départ : l'histoire qu'elle avait vécue auprès d'Hugh n'était pas un conte de fées mais un drame authentique.

Tandis que la voiture se rapprochait de l'autoroute qui mène à l'aéroport, elle sanglotait silencieusement, au comble du désespoir. Elle essuyait continuellement les larmes qui coulaient sur ses joues.

Elle comprenait que si elle se séparait d'Hugh, c'était sa faute à elle. C'est elle qui s'était enfermée dans une attitude négative.

Et tandis qu'elle s'éloignait de lui, une évidence s'imposait à elle : cet homme, elle l'aimait comme elle n'avait jamais aimé aucun homme. Elle aimait le regarder, l'entendre, écouter son rire lorsqu'il jouait avec Ivy, elle adorait le son de sa voix, si grave, si musicale. Elle aimait ses parents, ses amis, sa maison, et même cette grande ville qui était son environnement à lui et qu'elle était en train de quitter. Dans le personnage d'Hugh Strickland, il n'y avait rien qu'elle n'aimât. Rien de négatif.

Comme les larmes inondaient son visage, elle fouilla dans son sac pour prendre un mouchoir en papier.

Tiens, il y avait une enveloppe au fond. Elle ne se souvenait pas d'avoir mis une enveloppe à cet endroit.

Lorsqu'elle sortit l'enveloppe, elle constata que celle-ci portait un mot, un seul, écrit à la main. Elle reconnut la belle écriture d'Hugh.

Joanna.

Il lui sembla que son cœur s'arrêtait de battre.

A l'intérieur, il y avait une feuille de papier pliée en

quatre, accompagnée d'un objet de petite taille qu'elle ne reconnut pas dans un premier temps.

Une bague.

Grands dieux ! Elle reconnut la bague de fiançailles de la grand-mère d'Hugh, ce magnifique bijou aux cinq pierres qu'il lui avait montré le fameux soir du 31 décembre, quelques heures avant la nouvelle année, lorsqu'il lui avait proposé le mariage.

Pour être sûre de ne pas égarer la bague sur le siège arrière ou dans la voiture, elle la passa à son doigt. La bague était exactement à sa taille.

Elle rapprocha la feuille de papier de la fenêtre et lut les quelques lignes écrites par Hugh.

« Très chère Joanna,

» Je suis désespérément amoureux de vous. Je sais que c'est probablement difficile à croire pour vous, mais c'est ainsi. C'est arrivé d'un coup, et très vite. Comment pourrais-je parvenir à vous en convaincre ?

» J'ai le sentiment d'un avant et d'un après. Avant de vous connaître, je menais une vie toute différente. J'étais seul malgré les différentes rencontres que je pouvais faire, les quelques liaisons sans intérêt qui étaient les miennes.

» Et, brusquement, j'ai retrouvé Ivy, et en même temps je vous ai connue. Dès ce moment, ma vie a changé du tout au tout.

» Je sais à présent que je souhaite ardemment demeurer auprès de vous tout au long de ma vie. Et je suis certain de pouvoir vous rendre heureuse. Si j'avais la chance de pouvoir vivre avec vous, je serais l'homme le plus heureux du monde.

» C'est à vous de prendre la décision qui pourra faire basculer nos vies à tous les deux, Joanna. Soit vous me renvoyez cette bague, soit vous la gardez à votre main, ce qui signifiera que nous serons liés pour toujours.

» Je vous aime.

Hugh. »

Hugh se trouvait avec Ivy dans la chambre de la petite fille, dont la porte était restée ouverte. Ivy était en train de lui raconter les discussions qu'elle avait entendues entre Howard-la-licorne et sa poupée.

Hugh tourna brusquement la tête. Quelqu'un montait l'escalier.

Il se leva.

Joanna se trouvait en haut de l'escalier, droite, le visage pâle, les yeux rougis.

— C'est Joanna ! s'écria Ivy en le bousculant presque, au comble du bonheur. Tu vois, papa, je t'avais dit qu'elle reviendrait !

La petite fille courut se précipiter dans les bras de Joanna qui la serra tendrement contre elle, puis la reposa doucement sur le parquet, les yeux humides.

Hugh, bouleversé, n'en croyait pas ses yeux.

Elle était de retour !

Lequel des deux fit le premier mouvement, il ne le saurait jamais, mais une chose était certaine : un instant plus tard, Joanna et lui s'embrassaient dans une folle étreinte.

— Je vous aime Hugh, murmura-t-elle, chavirée de bonheur. Je vous aime, je vous aime, je vous aime…

Elle embrassait sa bouche, son menton, ses joues, fébrilement, passionnément, puis revenait à ses lèvres qu'elle goûtait avec une ferveur gourmande.

Hugh la serrait si fort contre lui que la petite fille, inquiète, s'écria :

— Tu la serres trop fort, papa. Tu vas lui faire mal !

Hugh relâcha son étreinte et ils s'écartèrent un peu l'un de l'autre, ivres et heureux.

— Ma poupée, dit-il en se penchant sur sa fille, je crois que Regina est en train de préparer un gâteau au chocolat. Je n'en suis pas sûr, mais j'aimerais bien que tu ailles vérifier. D'accord ?

— J'y vais ! répondit Ivy, enchantée.

Elle virevolta sur ses talons et courut vers l'escalier. Puis elle se retourna.

— Oh, papa. Si Joanna veut repartir, tu dis non, hein ? On est bien d'accord ?

— Je ne pars plus, promit Joanna, les yeux humides. Je reste.

— Alors ça va, commenta Ivy en dévalant joyeusement l'escalier.

Hugh prit tendrement la main de Joanna et considéra la bague qui lui allait si bien.

— Je me demandais si vous accepteriez de la porter, murmura-t-il, très ému. Ou bien si vous me la renverriez, ce qui aurait signifié que…

Elle posa deux doigts sur sa bouche pour l'arrêter.

— Je suis là, Hugh. Tout est limpide, à présent.

Ils se fixèrent un instant, éperdus de passion, puis se jetèrent dans les bras l'un de l'autre.

Exultant, Hugh souleva Joanna, l'emporta dans sa chambre et ferma soigneusement la porte.

Le baiser qui suivit fut très long, plein de tendresse et d'amour.

Ce fut plus tard, bien plus tard, que Joanna lui raconta de quelle manière s'était passé son départ, qui se révéla, à vrai dire, un retour.

— Nous approchions de l'aéroport. De temps à autre, Humphries jetait un regard inquiet dans le rétroviseur. Il voyait bien que j'étais désespérée. Je lui ai demandé de contourner l'aéroport, d'aller un peu plus loin. Il a roulé quelque temps, puis il s'est inquiété : « Vous risquez d'avoir du retard, mademoiselle. » J'ai insisté pour qu'il continue à rouler. Au bout de quelque temps, il m'a répété que je risquais de rater mon avion. Puis, brusquement, il a compris que c'était ce que je voulais, justement : rater mon avion ! Alors il a fait demi-tour et a appuyé à fond sur l'accélérateur pour que je sois le plus vite possible auprès de vous.

— Vous savez quoi ? dit Hugh, les yeux humides d'émotion.

— Non. Mais vous allez me le dire.

— Je suis l'homme le plus heureux de la terre.

Joanna posa sa tête contre son épaule, et il pressa ses lèvres contre son cou, amoureusement, là où les cheveux frisottent.

— Loin de moi l'idée de vous bousculer, dit-il d'une voix hésitante. Mais j'aimerais bien savoir quand nous pourrons nous marier. Est-ce que six mois vous paraîtrait un délai raisonnable ?

— Raisonnable ? Absolument pas. Six mois ? Je ne pourrai jamais attendre si longtemps !

Épilogue

Extrait de l'article paru dans le Nelson's Column, l'un des quotidiens anglais :

Le grand événement londonien de ces dernières semaines vient tout juste d'être révélé au public. On a en effet appris après plusieurs semaines de silence radio le mariage de lord Hugh Strickland, le patron de Rychester Aviation.

La liaison de lord Hugh avec une gouvernante australienne, Joanna Berry, avait déjà été évoquée ici et là, mais de manière confuse, sans réelles informations. Qui aurait pu deviner que la discrète Joanna Berry, venue d'une modeste ville australienne, Bindi Creek, puisse devenir lady Joanna Strickland ?

C'est maintenant chose faite, et la belle Australienne est à présent officiellement l'heureuse épouse de celui qui va devenir le comte de Rychester.

Le mariage a été célébré dans l'intimité dans le Devon, au sein de la chapelle du domaine familial, sans qu'aucune annonce ait été faite à la presse. Les rares privilégiés ayant pu assister au mariage témoignent d'une jeune épouse rayonnante, d'un époux radieux et d'une demoiselle d'honneur qui exultait de bonheur. La famille de la jeune mariée avait fait le déplacement depuis l'Australie dans l'un des avions privés de lord Strickland.

Aux dernières nouvelles, on apprend que l'heureux couple, toujours accompagné de son inséparable demoiselle d'honneur, a été aperçu dans les Alpes françaises après un bref passage à New York et à Tahiti. On ne connaît pas leur prochaine destination, mais les diverses informations les concernant font systématiquement part de l'image du bonheur le plus parfait qui soit.

Dès le 1er janvier 2007,

la collection *Horizon*
vous propose de découvrir
4 romans inédits.

---

collection
Horizon
4 romans par mois

Dès le 1ᵉʳ janvier 2007,

la collection *Azur*
vous propose de découvrir
8 romans inédits.

Le nouveau visage
de la collection Or

◆

AMOURS D'AUJOURD'HUI

Afin de mieux exprimer sa modernité et de vous séduire encore davantage, votre collection Or a changé de couverture et de nom depuis le 1er mars 1995.

Rassurez-vous, les romans, eux, ne changent pas, et vous pourrez retrouver dans la collection **Amours d'Aujourd'hui** tous vos auteurs préférés.

Comme chaque mois, en effet, vous y attendent des héros d'aujourd'hui, aux prises avec des passions fortes et des situations difficiles...

**COLLECTION
AMOURS D'AUJOURD'HUI :**
Quand l'amour guérit des blessures de la vie...

Chère lectrice,

Vous nous êtes fidèle depuis longtemps?
Vous venez de faire notre connaissance?

C'est pour votre plaisir que nous avons
imaginé un rendez-vous chaque mois
avec vos auteurs préférés, vos
AUTEURS VEDETTE dans les
collections Azur et Horizon.

Les AUTEURS VEDETTE vous
donneront rendez-vous pour de
nouveaux livres vedette.

Pour les reconnaître, cherchez
l'étoile... Elle vous guidera!

Éditions Harlequin

HARLEQUIN

LE FORUM DES LECTEURS ET LECTRICES

CHERS(ES) LECTEURS ET LECTRICES,

VOUS NOUS ETES FIDÈLES DEPUIS LONGTEMPS?

VOUS VENEZ DE FAIRE NOTRE CONNAISSANCE?

SI VOUS AVEZ DES COMMENTAIRES, DES CRITIQUES À
FORMULER, DES SUGGESTIONS À OFFRIR, N'HÉSITEZ
PAS... ÉCRIVEZ-NOUS À:

> LES ENTERPRISES HARLEQUIN LTÉE.
> 498 RUE ODILE
> FABREVILLE, LAVAL, QUÉBEC.
> H7R 5X1

C'EST AVEC VOS PRÉCIEUX COMMENTAIRES QUE NOUS
ALLONS POUVOIR MIEUX VOUS SERVIR.

DE PLUS, SI VOUS DÉSIREZ RECEVOIR UNE OU
PLUSIEURS DE VOS SÉRIES HARLEQUIN PRÉFÉRÉE(S)
À VOTRE DOMICILE, NE TARDEZ PAS À CONTACTER LE
SERVICE D'ABONNEMENT; EN APPELANT AU
(514) 875-4444 (RÉGION DE MONTRÉAL) OU 1-800-667-4444
(EXTÉRIEUR DE MONTRÉAL) OU TÉLÉCOPIEUR
(514) 523-4444 OU COURRIER ELECTRONIQUE:
AQCOURRIER@ABONNEMENT.QC.CA OU EN ÉCRIVANT À:

> ABONNEMENT QUÉBEC
> 525 RUE LOUIS-PASTEUR
> BOUCHERVILLE, QUÉBEC
> J4B 8E7

MERCI, À L'AVANCE, DE VOTRE COOPÉRATION.

BONNE LECTURE.

HARLEQUIN.

VOTRE PASSEPORT POUR LE MONDE DE L'AMOUR.

<u>COLLECTION HORIZON</u>

Des histoires d'amour romantiques qui vous mènent au bout du monde!

Découvrez la passion et les vives émotions qu'apportent à la Collection Horizon des auteurs de renommée internationale!

Captivantes, voire irrésistibles, ces histoires d'amour vous iront assurément droit au coeur.

Surveillez nos trois nouveaux titres chaque mois!

69 L'ASTROLOGIE EN DIRECT
TOUT AU LONG
DE L'ANNÉE.

(France métropolitaine uniquement)
Par téléphone 08.92.68.41.01
0,34 € la minute (Serveur JET MULTIMÉDIA).

Composé et édité par les
*éditions*Harlequin
Achevé d'imprimer en novembre 2006

BUSSIÈRE
GROUPE CPI

à Saint-Amand-Montrond (Cher)
Dépôt légal : décembre 2006
N° d'imprimeur : 62093 — N° d'éditeur : 12498

Imprimé en France